Spargel

in allen Variationen

MOEWIG

Die Rezepte sind – wenn nicht anders angegeben –
für 4 Personen berechnet.
Umschlagfoto: Marinierter Spargel

Die Rezepte in diesem Buch sind mit aller Sorgfalt zusammengestellt
und überprüft worden; dennoch kann eine Garantie nicht übernommen werden.
Eine Haftung des Verlags und seiner Beauftragten für Personen-,
Sach- und Vermögensschäden ist ausgeschlossen.
VPM Verlagsunion Pabel Moewig KG, Rastatt
© Ceres Verlag Rudolf August Oetker KG, Bielefeld
Umschlaggestaltung: Werbeagentur Zeuner, Ettlingen
Umschlagfoto: Ceres/Christiane Pries
Fotos im Innenteil: Ceres Verlag
Satz: Typo Design Hecker GmbH, Heidelberg
Druck und Bindung: Graphischer Großbetrieb Pößneck GmbH
Printed in Germany
ISBN 3-8118-1370-6

Inhaltsübersicht

Vorwort

Schon die alten Ägypter, Griechen und Römer liebten Spargel. Dieses köstliche Gemüse ist auch heute begehrt und beliebt. Denn Spargel ist gesund und bekömmlich, kalorienarm, aber reich an Vitaminen und Mineralstoffen. Er kann als Vorspeise, Suppe, Hauptgericht, als kleine Gemüsebeilage oder als Salat zubereitet werden und eignet sich sogar als Bestandteil einer Diät.
Ob Sie ihn weiß oder grün bevorzugen – am besten schmeckt er frisch, mit einem leichten Weißwein dazu. Die Variationsmöglichkeiten bei der Zubereitung sind ohne Grenzen: Sie können ihn klassisch, mit Sauce hollandaise oder zerlassener Butter und Petersilienspitzchen servieren. Ebenso gut schmeckt er gratiniert, als Soufflé, mit einer würzigen Salatvinaigrette – immer ist er ein leichter und köstlicher Genuß. Lassen Sie sich inspirieren von den Rezeptvorschlägen für die leichte Sommerküche, damit Sie eines der köstlichsten Sommergemüse in all seinen Möglichkeiten ausschöpfen: für den kleinen Snack zwischendurch, für den Mittags- oder Abendtisch, für das Partybuffet und bei vielen anderen Gelegenheiten. Lassen Sie sich auch verführen von den Rezepten für verwandte feine Gemüse – Erbsen, Lauch, Kartoffeln, Frühlingszwiebeln, die in Kombination mit Spargel ebenso wie für sich allein genossen werden können.
Vertrauen Sie sich den Spezialisten der Dr. Oetker-Kochbuchredaktion an, die gelingsichere und leicht nachvollziehbare Schritt-für-Schritt-Rezepte erarbeitet haben – mit verläßlichen Mengenangaben für Sie, Ihre Familie und Ihre Freunde.

Spargel

Spargel

1 kg Spargel	von oben nach unten schälen, darauf achten, daß die Schalen vollständig entfernt, die Köpfe aber nicht verletzt werden, die unteren Enden gerade und alle Stangen möglichst gleich lang schneiden (holzige Stellen vollkommen wegschneiden), den Spargel waschen, bündeln
375 ml (⅜ l) Wasser	
1 Teel. Salz	
Zucker	
20 g Butter	zum Kochen bringen, den Spargel hineingeben, zum Kochen bringen, in etwa 20 Minuten gar kochen lassen den garen Spargel mit einem Schaumlöffel vorsichtig herausnehmen, auf eine vorgewärmte Platte legen, die Fäden entfernen
50 g Butter	zerlassen, nach Belieben bräunen, zu dem Spargel reichen.
Beilage	Roher Schinken, Kalbsschnitzel oder Kotelett.
Veränderung	Sauce hollandaise oder Sauce béarnaise zu dem Spargel reichen, ihn dann nur mit gehackter Petersilie bestreuen. Anstelle von weißem Spargel grünen Spargel verwenden, diesen nur am unteren weißen Ende schälen.

Spargel auf badische Art

(Foto Seite 17)

500 g Spargel pro Person	von oben nach unten schälen, dabei darauf achten, daß die Schalen vollständig entfernt, die Köpfe aber nicht verletzt werden, die unteren Enden gerade und alle Stangen möglichst gleich lang schneiden (holzige Stellen vollkommen wegschneiden) den Spargel waschen, in Portionen bündeln
etwa 125 ml (⅛ l) Wasser pro 500 g Spargel	mit
je 1 Prise Salz und Zucker	und
5 g Butter	zum Kochen bringen, den Spargel hineingeben, zum Kochen bringen den Spargel in etwa 20 Minuten gar kochen lassen den garen Spargel mit einem Schaumlöffel vorsichtig aus dem Kochwasser herausnehmen, auf eine vorgewärmte Platte legen, die Fäden entfernen.
50 g gekochter Schinken pro Person	
50 g roher Schinken pro Person	auf Tellern verteilen.

50 g Butter pro Person

Für die Buttersauce
zerlassen, aber nicht bräunen lassen.

Für die Kratzete

150 g Weizenmehl
375 ml (⅜ l) Milch
Salz
in eine Schüssel geben, in die Mitte eine Mulde drücken

4 Eier
hineingeben, mit dem Handrührgerät mit Rührbesen zu einem glatten, recht dünnen Teig verrühren

65 g Butter
in einer Pfanne erhitzen, so viel Teig hineingießen, daß der Boden gerade bedeckt ist, den Teig wie für einen Pfannkuchen auf einer Seite goldgelb backen, dann umwenden und mit Gabel und Eßlöffel in kleine Streifen zerreißen, den „zerkratzten" Teig schwenken und ganz knusprig backen, warm stellen, bis alle vier Portionen fertig sind.

Für die Sauce hollandaise

200 g Butter
zerlassen, etwas abkühlen lassen

2 Eigelb
mit

2 Eßl. Weißwein
im Wasserbad so lange schlagen, bis die Masse dicklich ist die Schüssel aus dem Wasserbad nehmen, die etwas abgekühlte Butter langsam darunterschlagen die Sauce mit

Zitronensaft

Salz
und

etwas Cayennepfeffer
abschmecken.

Für die Sauce maltaise

Butter
zerlassen und abkühlen lassen

2 Eßl. frisch gepreßten
Orangensaft
1 Eßl. Zitronensaft
1 gehackte Schalotte
5 – 10 zerdrückte
Pfefferkörner
in einer Kasserolle fast vollständig eindünsten und erkalten lassen

1 Eßl. Wasser
und

2 Eigelbe
mit der Schalotten-Masse vermengen, das Gemisch im Wasserbad so lange schlagen, bis die Masse dicklich ist, aus dem Wasserbad nehmen die Butter langsam nach und nach unterschlagen, mit

Salz
etwas Cayennepfeffer
abschmecken

geriebene oder
in Julienne
geschnittene Schale
von ¼ Orange
(unbehandelt)
unterziehen, den Spargel mit dem Schinken servieren, die Saucen dazu reichen.

Spargel mit Sauce béarnaise

1 kg Spargel	von oben nach unten schälen, darauf achten, daß die Schalen vollständig entfernt, die Köpfe aber nicht verletzt werden, die unteren Enden gerade und alle Stangen möglichst gleich lang schneiden (holzige Stellen vollkommen wegschneiden), den Spargel waschen, in Portionen bündeln
375 ml (⅜ l) Wasser	mit
1 Teel. Salz	
Zucker	
1 Eßl. Butter	zum Kochen bringen, den Spargel hineingeben, zum Kochen bringen, den Spargel in etwa 20 Minuten gar kochen lassen, den garen Spargel mit einem Schaumlöffel vorsichtig aus dem Kochwasser herausnehmen, auf eine vorgewärmte Platte legen, die Fäden entfernen.

Für die Sauce béarnaise

100 g Butter	zerlassen, etwas abkühlen lassen
1 kleine Schalotte	abziehen, würfeln
	Schalottenwürfel, 3 Eßlöffel von
4 Eßl. feingehackten, gemischten Kräutern z. B. Estragon, Petersilie	
2 Teel. Estragonessig	
2 Eßl. Weißwein	zum Kochen bringen, etwa 5 Minuten kochen lassen die Masse durch ein Sieb streichen, den Sud mit
2 Eigelben	im Wasserbad so lange schlagen, bis die Masse dicklich ist die Hitze reduzieren, die abgekühlte Butter langsam darunterschlagen die Sauce mit
Salz etwa 10 zerdrückten schwarzen Pfefferkörnern, Zitronensaft	Zucker und abschmecken, die restlichen Kräuter unterrühren, die Sauce evtl. im Wasserbad warm halten, die Sauce béarnaise über die Spargelstangen gießen.

Spargel mit gekochtem Schinken

(Foto Seite 18)

1 kg Spargel	von oben nach unten schälen, darauf achten, daß die Schalen vollständig entfernt sind, die Köpfe aber nicht verletzt werden; die unteren Enden gerade und alle Stangen gleich lang schneiden, holzige Stellen völlig wegschneiden den Spargel waschen, bündeln

375 ml (⅜ l) Wasser
1 Teel. Salz
1 Prise Zucker zum Kochen bringen, den Spargel hineingeben, zum Kochen bringen in 15 – 20 Minuten gar kochen lassen den garen Spargel mit einem Schaumlöffel vorsichtig herausnehmen, auf eine vorgewärmte Platte legen, die Fäden entfernen

70 g Butter zerlassen, nach Belieben bräunen
500 g gekochten
Schinken
(in Scheiben geschnitten) auf Tellern verteilen, den Spargel dazugeben, die gebräunte Butter dazu reichen.

Spargel mit Wein-Chaudeau

1 kg Spargel von oben nach unten schälen, waschen, in
1 l kochendes
Salzwasser geben, zum Kochen bringen, in etwa 20 Minuten gar kochen, abtropfen lassen, auf einer vorgewärmten Platte anrichten, warm stellen.

Für den Wein-Chaudeau
4 Eigelbe mit
150 ml Weißwein
150 ml Fleischbrühe verrühren, im Wasserbad so lange schaumig schlagen, bis der Kochpunkt fast erreicht und die Sauce cremig ist, dann unter Rühren mit

Salz
frisch gemahlenem
Pfeffer
geriebener Muskatnuß
Paprika edelsüß
½ Teel.
Worcestersauce würzen, zu dem Spargel reichen.

Spargel mit Weinsauce

1 ½ kg weißer Spargel al dente kochen
5 Eigelbe und
1 Glas Weißwein im Wasserbad schaumig rühren
60 g Butter flockenweise in die Schaummasse rühren abgetropften Spargel auf einer vorgewärmten Platte anrichten, Weinsauce dazu servieren.

13

Spargel mit westfälischem Schinken

1 kg Spargel	von oben nach unten schälen, darauf achten, daß die Schalen vollständig entfernt, die Köpfe aber nicht verletzt werden, die unteren Enden gerade und alle Stangen möglichst gleich lang schneiden, holzige Stellen vollkommen wegschneiden den Spargel waschen, bündeln und mit
375 ml (⅜ l) Wasser **1 Teel. Salz** **Zucker**	und 10 g von
70 g Butter	zum Kochen bringen, den Spargel hineingeben, zum Kochen bringen, in etwa 20 Minuten gar kochen lassen den garen Spargel mit einem Schaumlöffel vorsichtig herausnehmen, auf eine vorgewärmte Platte legen und die Fäden entfernen die restliche Butter zerlassen, nach Belieben bräunen
500 g feingeschittenen **westfälischen** **Knochenschinken**	auf Tellern anrichten, dazu den Spargel mit der Butter reichen.
Tip	Dazu frische Kartoffeln servieren.

Spargel mit Zitronensauce

je 1 kg grünen und **weißen Spargel**	waschen mit einem Spar- oder Spargelschäler vom grünen Spargel nur das untere Stangendrittel schälen, den weißen Spargel ganz schälen, mit einem Messer die harten Enden abschneiden, die Schalen und Enden vom weißen Spargel mit
500 ml (½ l) Wasser	in etwa 20 Minuten auskochen, durch ein Sieb gießen und für die Sauce 375 ml (⅜ l) abmessen die restliche Spargelbrühe für die Suppe einfrieren den Spargel mit den Spitzen nach oben in den Siebeinsatz des Spargeltopfes stellen, zur Hälfte mit Wasser füllen
Salz **20 g Butter** **oder Margarine**	hinzufügen und etwa 15 Minuten kochen den Spargel herausnehmen und abtropfen lassen.

	Für die Sauce
1 Eßl. Speisestärke	
2 Eigelbe	verrühren
375 ml (⅜ l) Spargel-brühe oder	
Gemüsebrühe	hinzufügen
	das Ganze bei milder Hitze mit den Schneebesen vom Handrührgerät dickschaumig aufschlagen, einmal kurz aufkochen lassen, dann sofort vom Herd ziehen unter kräftigem Rühren
60 g eiskalte Butter-flocken	nach und nach in die Sauce rühren
	wichtig: das Fett muß sich erst völlig aufgelöst haben, bevor das nächste untergeschlagen wird zum Schluß mit
Salz	
Zucker	
½ Zitrone	abschmecken.

Spargel und Lachs mit Orangensauce

400 g frischen Lachs (am Stück)	entgräten, schräg in Scheiben schneiden, zugedeckt beiseite stellen
200 g gekochten Spargel	warm stellen.
	Für die Sauce
3 Orangen (unbehandelt)	heiß abwaschen, hauchdünn schälen (etwas Schale zum Garnieren beiseite stellen), die Orangen auspressen, 200 ml Saft abmessen, mit
100 ml trockenem Weißwein	und der Orangenschale auf die Hälfte einkochen lassen die Hälfte von
125 ml (⅛ l) Schlagsahne	hinzufügen, auf 125 ml (⅛ l) einkochen lassen
3 Schalotten	abziehen, fein würfeln, in
20 g Butter	glasig dünsten, die Flüssigkeit hinzugießen, zum Kochen bringen, 5 Minuten kochen lassen, durch ein Sieb streichen, mit
Salz	
frisch gemahlenem Pfeffer	
gehacktem Estragon	würzen
50 g kalte Butter	in Stückchen unterschlagen, die restliche Sahne steif schlagen, unterheben, 4 angewärmte Teller mit Butter bestreichen, den Spargel darauf anrichten, Lachsscheiben darüberlegen, mit Salz, Pfeffer würzen, mit der Orangen-sauce bestreichen, 2 – 3 Minuten unter den vorgeheizten Grill schieben, bis die Sauce goldbraun ist, mit
glatter Petersilie	und der restlichen Orangenschale garnieren.

15

Gedünsteter Spargel mit Maltesersauce

(Foto Seite 19)

500 g weißen Spargel	waschen, vorsichtig von oben nach unten mit einem Sparschäler schälen und die Enden abschneiden
500 g grünen Spargel	nur am unteren Teil der Stangen schälen und die Enden abschneiden
750 ml (³/₄ l) Wasser	in einen ovalen Topf geben
Salz	
Zucker	
1 Eßl. Butter	
1 Teel. Zitronensaft	hinzufügen und zum Kochen bringen Spargel auf einen Dampfeinsatz legen, in den Topf setzen und in 15 – 20 Minuten gar kochen den Spargel herausnehmen, auf eine vorgewärmte Platte legen und warm stellen; vom Spargelkochwasser 125 ml (⅛ l) abmessen.
	Für die Sauce
30 g Butter	und
20 g Weizenmehl	verkneten und kleine Bohnen daraus formen
1 Blutorange	auspressen und den Saft durch ein Sieb geben, die Hälfte des Saftes mit
100 ml Schlagsahne	und dem abgemessenen Spargelkochwasser in einen Topf geben, etwas erhitzen, die Mehlbohnen dazugeben und alles unter ständigem Rühren 5 – 7 Minuten leicht köcheln lassen den restlichen Orangensaft und
1 Teel. Orangenlikör	hinzufügen die Sauce mit Salz und
frisch gemahlenem Pfeffer	abschmecken und mit dem Spargel servieren.

Spargel auf badische Art, Rezept Seite 10

Spargel mit gekochtem Schinken, Rezept Seite 12

Gedünsteter Spargel, Rezept Seite 16

Grüner Spargel im Schlafrock, Rezept Seite 22

Französischer Spargel

mit Vinaigrette	
2 kg Spargel	schälen, waschen, die Enden abschneiden, in
kochendes Salzwasser	geben
½ Teel. Zucker	dazugeben, den Spargel zum Kochen bringen, in 15 – 20 Minuten gar kochen, abtropfen lassen, warm stellen.

	Für die Sauce
6 Eßl. Speiseöl	mit
3 Eßl. Weinessig	
1 Teel. Senf	
1 abgezogenen, gewürfelten Zwiebel	
1 Bund gehackter Petersilie	verrühren, mit
Salz, frisch gemahlenem Pfeffer	abschmecken den Spargel auf Tellern anrichten, die Sauce darübergeben
2 hartgekochte, gehackte Eier	darüberstreuen, sofort servieren.

Gedünsteter Spargel mit Sauce Mousseline

1 kg weißen und grünen Spargel	schälen (bei grünem Spargel nur das untere Drittel), die Enden abschneiden, den Spargel waschen
750 ml (¾ l) Wasser	mit
Salz, Zucker	
1 Eßl. Butter	
1 Teel. Zitronensaft	in einem ovalen Topf mit Dampfeinsatz zum Kochen bringen, den Spargel darin in 15 – 20 Minuten gar dämpfen, herausnehmen, warm stellen, vom Spargel-kochwasser 125 ml (⅛ l) abmessen.

	Für die Sauce
200 g Butter	zerlassen, etwas abkühlen lassen
4 Eigelb	mit
6 Eßl. trockenem Weißwein	im heißen Wasserbad dicklich schlagen, herausnehmen, die noch flüssige Butter nach und nach unterschlagen die Sauce mit
Salz	
frisch gemahlenem Pfeffer	
Zitronensaft	
Worcestersauce	
Currypulver	würzen

2 Becher (je 150 g) Crème fraîche	kurz vor dem Servieren unterrühren, die Sauce Mousseline bis zum Verzehr im Wasserbad warm halten, damit sie nicht gerinnt.
Tip:	Zu kurzgebratenem Fleisch oder Gemüse reichen.

Grüner Spargel im Schlafrock
(Foto Seite 20)

1 kg grünen Spargel	nur am unteren weißen Ende schälen die unteren Enden gerade und alle Stangen möglichst gleich lang schneiden (holzige Stellen vollkommen wegschneiden), den Spargel waschen, in Portionen bündeln
375 ml (⅜ l) Wasser	mit
1 Teel. Salz Zucker	
1 Eßl. Butter	zum Kochen bringen, den Spargel hineingeben, zum Kochen bringen, den Spargel in etwa 15 Minuten gar kochen lassen, den garen Spargel mit einem Schaumlöffel vorsichtig aus dem Kochwasser herausnehmen, auf eine vorgewärmte Platte legen, die Fäden entfernen, abkühlen lassen, die Spargelstangen in
10 dünne Scheiben Parmaschinken	einrollen
3 Eier	verschlagen, mit
200 g frisch geriebenem Parmesan	vermischen die Schinkenröllchen in
Weizenmehl	wälzen, durch die Eiermischung ziehen
Speiseöl	und
Butter	in einer Pfanne zerlassen, die Spargelröllchen darin ausbacken.
	Für die Estragonschaumsauce
100 g Butter	zerlassen, etwas abkühlen lassen
2 Schalotten	abziehen, würfeln
1 Bund frischen Estragon	abspülen, trockentupfen, die Blättchen von den Stengeln zupfen, die Hälfte der Blättchen hacken, beiseite stellen die übrigen Blättchen mit den Schalottenwürfeln
50 ml Weißwein 6 weißen Pfefferkörnern 1 Eßl. Weißweinessig	zum Kochen bringen, etwas einkochen lassen, durch ein Sieb streichen Estragonsud mit
3 Eigelben	im Wasserbad so lange schlagen, bis die Masse dicklich ist, die Schüssel aus dem Wasserbad nehmen, die etwas abgekühlte Butter langsam darunterschlagen

die Sauce mit

Salz
frisch gemahlenem,
weißem Pfeffer und
Zitronensaft abschmecken
die gehackten Estragonblättchen unterrühren,
die Sauce im Wasserbad warm halten.

Grüner Spargel mit gebratener Entenbrust

1 kg grünen Spargel nur am unteren weißen Ende schälen
die unteren Enden gerade und alle Stangen möglichst
gleich lang schneiden (holzige Stellen vollkommen
wegschneiden)
den Spargel waschen, in Portionen bündeln
375 ml (⅜ l) Wasser mit
1 Teel. Salz
Zucker
1 Eßl. Butter zum Kochen bringen, den Spargel hineingeben, zum
Kochen bringen
den Spargel in etwa 15 Minuten gar kochen lassen
den garen Spargel mit einem Schaumlöffel vorsichtig aus
dem Kochwasser herausnehmen, auf eine vorgewärmte
Platte legen, die Fäden entfernen
4 Entenbrustfilets unter fließendem kaltem Wasser abspülen, trockentupfen,
mit
Salz
frisch gemahlenem
Pfeffer würzen
1 Eßl. Olivenöl in einer Pfanne heiß werden lassen
bei starker Hitze auf der Hautseite etwa 2 Minuten
anbraten, bei mittlerer Hitze insgesamt 8 Minuten auf
beiden Seiten weiterbraten, Filets aus der Pfanne nehmen,
in Alufolie einwickeln und mindestens 5 Minuten ruhen
lassen
4 Grapefruits so schälen, daß die weiße Haut mit entfernt wird,
dann quer in Scheiben schneiden.

Für die Marinade

3 Eßl. Weinessig
4 Eßl. Sherry verrühren, langsam
125 ml (⅛ l) Olivenöl darunterschlagen, mit Salz und Pfeffer würzen
75 g Kerbel abspülen, trockentupfen, einige Blätter zum Garnieren
beiseite legen
die restlichen Kräuter hacken, in die Marinade geben
den warmen Spargel und die Grapefruitscheiben mit der
Marinade mischen und anrichten, die Entenbrustfilets
aufschneiden und mit dem Salat servieren.

23

Grüner Spargel mit Kresse-Hollandaise

Für die Sauce

200 g Butter	zerlassen, etwas abkühlen lassen
4 Eigelbe	mit
6 Eßl. Weißwein	im Wasserbad so lange schlagen, bis die Masse dicklich ist, aus dem Wasserbad nehmen, die Butter nach und nach unterschlagen, die Sauce mit
Salz	
frisch gemahlenem Pfeffer	
Zucker	
Zitronensaft	abschmecken, bis zum Verzehr im Wasserbad warm halten, damit sie nicht gerinnt von
½ Kästchen Kresse	die Blättchen abschneiden, vorsichtig waschen, trockentupfen, unter die Sauce rühren
500 g gekochten grünen Spargel	auf Tellern anrichten, die Sauce darübergeben, sofort servieren.

Spargel auf Tomatenmousse

Für das Tomatenschaumbrot

35 g Butter	zerlassen
30 g Weizenmehl	darin so lange erhitzen, bis es hellgelb ist
1 l Geflügelbrühe	hinzugießen, mit einem Schneebesen durchschlagen, darauf achten, daß keine Klümpchen entstehen die Sauce zum Kochen bringen, etwa 10 Minuten bei schwacher Hitze kochen lassen
4 Blatt weiße Gelatine	in kaltem Wasser einweichen, leicht ausdrücken, in die heiße Sauce rühren, die Sauce etwas abkühlen lassen
300 g abgezogene, entkernte Tomaten	mit dem Pürierstab des Handrührgerätes pürieren, zusammen mit
50 g Tomatenmark	in die Sauce rühren, mit
Salz	
frisch gemahlenem Pfeffer	abschmecken
½ Bund Kerbel	abspülen, trockentupfen, die Blättchen von den Stengeln zupfen und unter die Tomatenmasse rühren
150 ml Schlagsahne	steif schlagen, unter die fast abgekühlte Masse heben die Masse in Tortelettförmchen gießen und 1 Stunde im Kühlschrank erstarren lassen.

Für den Spargel

1 kg grünen Spargel	nur am unteren weißen Ende schälen, die unteren Enden gerade und alle Stangen möglichst gleich lang schneiden (holzige Stellen vollkommen wegschneiden) den Spargel waschen, in Portionen bündeln
375 ml (⅜ l) Wasser	mit
1 Teel. Salz	
Zucker	
1 Eßl. Butter	zum Kochen bringen, den Spargel hineingeben, zum Kochen bringen, den Spargel in etwa 15 Minuten gar kochen lassen, den garen Spargel mit einem Schaumlöffel vorsichtig aus dem Kochwasser herausnehmen, die Fäden entfernen
6 Wachteleier	in 7 Minuten hartkochen, pellen und halbieren die Tomatenschaumbrote stürzen, die Spargelstangen darauflegen und mit den Wachteleiern garnieren.

Spargel auf griechische Art

600 g Spargel	schälen, in Salzwasser etwa 20 Minuten gar kochen
4 Eßl. Olivenöl	mit
1 Eßl. Zitronensaft	und
1 Eßl. Kräuteressig	verquirlen und dabei
1 Teel. Senf	unterheben, mit
Salz	abschmecken über den abgetropften und zerschnittenen Spargel gießen, vor dem Servieren mehrfach wenden.

Spargel kaiserliche Art

(Foto Seite 37)

1 kg Spargel	von oben nach unten schälen, darauf achten, daß Schalen und holzige Stellen völlig entfernt, die Köpfe aber nicht verletzt werden, den Spargel in
etwa 1 l kochendes Salzwasser	geben
1 Eßl. Butter	
Zucker	hinzufügen, den Spargel zum Kochen bringen, in etwa 15 – 20 Minuten gar kochen, abtropfen und erkalten lassen
125 ml (⅛ l) Weißwein	mit
2 Eigelben	
1 gestr. Teel. Speisestärke	
Salz	
Zucker	in einem Topf unter ständigem Schlagen erhitzen, bis eine Kochblase aufsteigt, von der Kochstelle nehmen, unter Rühren erkalten lassen

1 Becher (150 g) Crème fraîche frisch gemahlenem Pfeffer	anschlagen, die Weincreme unterheben, mit Salz, abschmecken den Spargel auf 4 Teller verteilen, mit
1 Eßl. gehackter Petersilie	bestreuen
je 2 Scheiben von 8 Scheiben Parma- schinken (etwa 175 g)	neben jeder Spargelportion anrichten einen Teil der Sauce über den Spargel geben, die restliche Sauce getrennt dazu reichen die Portionen mit
Petersilie	garnieren.
Beigabe	Stangenweißbrot.

Spargel mit abgeschlagener Sauce

(Foto Seite 38)

Etwa 300 g gekochte Spargelspitzen	abtropfen lassen, warm stellen
50 g Butter	zerlassen
4 Scheiben Weißbrot (am besten Toastbrot)	von beiden Seiten darin braun rösten.

Für die abgeschlagene Sauce

2 Eigelbe	mit
3 Eßl. lauwarmem Wasser	im Wasserbad so lange schlagen, bis die Masse dicklich wird (nicht kochen lassen)
2 Eßl. steifge- schlagene Schlagsahne Salz frisch gemahlenem Pfeffer	unterheben, die Sauce mit
Zitronensaft	abschmecken, die Toastscheiben auf
gewaschenen Salatblättern	anrichten, den Spargel darauf verteilen, etwas von der Sauce darübergeben, die restliche Sauce dazu reichen
100 g rohen oder gekochten Schinken	in Streifen schneiden, über die Toastscheiben verteilen, mit
gehackter Petersilie	bestreuen.

Spargel mit feiner Spinatsauce

1 kg Spargel	von oben nach unten schälen
250 ml (¼ l) Wasser	mit
Salz	
Zucker	zum Kochen bringen, den Spargel hineingeben, zum Kochen bringen, in etwa 20 Minuten gar kochen lassen den garen Spargel mit einem Schaumlöffel herausnehmen, auf eine vorgewärmte Platte legen.
	Für die Spinatsauce
1 kg Spinat	verlesen, waschen, in
kochendes Salzwasser	geben, zum Kochen bringen, einige Minuten kochen lassen, bis die Blätter zusammenfallen, gut abtropfen lassen, fein hacken
1 Zwiebel	abziehen, fein würfeln
1 Eßl. Speiseöl	erhitzen, die Zwiebelwürfel darin andünsten, den Spinat hinzufügen, mitdünsten lassen
1 Becher (150 g) Crème fraîche	unterrühren
1 – 2 Eßl. Weizenmehl	mit
etwas kaltem Wasser	anrühren, die Sauce damit binden, mit
Salz	
frisch gemahlenem Pfeffer	
geriebener Muskatnuß	abschmecken.

Spargel mit Kerbelsauce

(Für 1 Portion)

	Von
250 g weißem oder grünem Spargel	die holzigen Enden abschneiden und die Stangen schälen, mit Garn umbinden und in reichlich
Salzwasser	mit
1 Msp. Butter	in etwa 15 Minuten bißfest garen
2 Eßl. Sonnenblumen-kerne (20 g)	in einer beschichteten Pfanne ohne Fett rösten
2 Eßl. Créme fraîche (40 g)	mit
1 – 2 Eßl. Spargelwasser	erhitzen, gut verrühren, mit
Salz	
frisch gemahlenem Pfeffer	würzen

27

2 – 3 Eßl. gezupften Kerbel und 1 Eßlöffel geröstete Sonnenblumenkerne unterrühren und kurz miterhitzen, die abgetropften Spargelstangen mit der Kerbelsauce anrichten, mit den restlichen Sonnenblumenkernen bestreuen

2 – 3 kleine, neue Kartoffeln (etwa 200 g) in Salzwasser in etwa 25 Minuten gar kochen, pellen, zu dem Spargel servieren.

Spargel mit Rührei und Hummerkrabben

1 kg grünen Spargel schälen (nur das untere Drittel), den Spargel waschen, die Enden abschneiden, in

kochendes Salzwasser geben, mit

1 Prise Zucker zum Kochen bringen, 10 – 15 Minuten kochen lassen, warm stellen

6 Eier mit

6 Eßl. Wasser verschlagen, mit

Salz

frisch gemahlenem Pfeffer würzen

30 g Butter in einer Pfanne zerlassen, die Eiermasse hineingeben sobald die Masse zu stocken beginnt, sie mit einem Pfannenwender strichweise vom Boden lösen das Rührei nur so lange weitererhitzen, bis es cremigweich und großflockig ist

8 Hummerkrabben aus der Schale lösen, den Darm entfernen, in

30 g Butter in einer zweiten Pfanne 2 – 3 Minuten braten den Spargel mit Rührei und Hummerkrabben auf Tellern anrichten, sofort servieren.

Spargel mit Kräutersauce

800 g Stangenspargel (Dose) nehmen, gut abtropfen lassen und auf einer Platte anrichten

4 Eigelbe mit

2 Eßl. mittelscharfem Senf und

4 Eßl. Sherryessig in eine Schüssel geben und mit dem Schneebesen verrühren

200 ml Olivenöl tropfenweise unter die Eigelbcreme ziehen, mit

Salz	
frisch gemahlenem Pfeffer	
1 Prise Zucker	
einigen Tropfen Zitronensaft	kräftig abschmecken
½ Bund Petersilie	
½ Bund Basilikum	
½ Bund Estragon	
½ Bund Schnittlauch	abspülen, trockentupfen, fein schneiden oder sehr fein hacken, die Kräuter unter die Creme ziehen, über den Stangenspargel geben und servieren.

Spargel mit Parmesankäse

(pro Portion)

250 g Spargel	schälen, die holzigen Enden abschneiden in wenig Salzwasser etwa 15 Minuten garen
30 g Butter	in einer Pfanne zerlaufen lassen, den abgetropften Spargel und
2 Eßl. frisch geriebenen Parmesankäse	hinzufügen, alles unter vorsichtigem Umwenden einige Minuten braten, mit
Salz	
frisch gemahlenem Pfeffer	würzen, dann auf einen heißen Teller geben im Bratfett nun
1 – 2 Eier	braten, dann auf den Spargel legen.

Grüner Spargel mit Nuß-Vinaigrette

1 kg grünen Spargel	waschen, das untere Drittel schälen, in etwa 3 cm große Stücke schneiden
etwa 600 ml Wasser	mit
Salz	
Zucker	aufkochen, die Spargelstücke darin etwa 5 Minuten kochen, kalt abschrecken, abtropfen lassen.

	Für die Nuß-Vinaigrette
4 Eßl. Haselnußöl	mit
2 Eßl. Distelöl	
3 Eßl. Himbeeressig	
2 Eßl. Orangensaft	verrühren
2 Schalotten	abziehen, fein hacken, unterrühren, mit
Salz	
frisch gemahlenem Pfeffer	
Zucker	abschmecken
1 Bund frische Kräuter (Dill, Schnittlauch, Petersilie)	abspülen, die Blättchen abzupfen, fein hacken, alle Zutaten zusammen gut verrühren, Spargel dazugeben
60 g Haselnußkerne	
40 g Walnußkerne	Die Nußkerne grob hacken, über den Salat verteilen.
Tip	Dieser Salat schmeckt auch ausgezeichnet mit Rauke oder Brunnenkresse.

Grüner Spargelstrauß

	Von
600 g grünem Spargel	das untere Drittel schälen, die unteren Enden gerade schneiden, den Spargel evtl. in Stücke schneiden
500 ml (½ l) Wasser	mit
Salz	
Zucker	
20 g Butter	in einem Topf zum Kochen bringen, den Spargel hineingeben, in etwa 10 Minuten garen, herausnehmen, erkalten lassen, jeweils 3 – 4 Stangen auf
gewaschenen Römersalatblättern	anrichten
5 Eßl. Olivenöl	mit
2 Eßl. Zitronensaft	
Salz	
frisch gemahlenem Pfeffer	
1 Prise Zucker	verrühren, den Spargel damit beträufeln
2 – 3 hartgekochte Eier	pellen, in kleine Würfel schneiden, den Spargel damit bestreuen, den Salat mit
Zitronenschalenspiralen	garnieren.

Lachsforelle mit Spargel

	In einem großen Topf
Salzwasser	mit
1 Eßl. Butter	
1 Prise Zucker	erhitzen
1 ½ kg weißen	
mitteldicken Spargel	2 cm unter dem Kopf beginnend zum Stielende hin schälen, die Stielenden etwa 1 cm breit abschneiden je 5 – 6 Spargelstangen mit einem Faden zusammenbinden, in das kochende Wasser geben und bei mittlerer Hitzezufuhr in 15 – 20 Minuten garen
4 Lachsforellenfilets	waschen, trockentupfen und mit
Zitronenpfeffer	
(Lemon-Pepper)	würzen
	die Forellenfilets in einer Teflonpfanne in
2 Eßl. Butterschmalz	beidseitig braten
1 ½ Pck.	
Sauce hollandaise	in einem Topf erwärmen, Spargel und Fischfilets getrennt anrichten, mit
frischem Kerbel oder	
gehackter Petersilie	und
1 Döschen	
Forellenkaviar (150 g)	garnieren.

Lachstatar mit grünem Spargel

	Für das Lachstatar
400 g frischen	
Lachs (ohne Gräten)	in kleine Würfel schneiden, mit
4 Eßl. Olivenöl	
2 Eßl. Zitronensaft	
2 Eßl. Balsamico-Essig	
Salz	
Pfeffer	
Basilikum	
Schnittlauch	
Kerbel	anmachen
20 Stangen	
grünen Spargel	in Salzwasser mit etwas
Zucker	und
Zitronensaft	in etwa 20 Minuten garen, abschütten und mit etwas Dressing beträufeln
	Spargel und Lachstatar auf einem Teller anrichten.

1 Ei	*Für die Blinis*
1 Eßl. Schlagsahne	trennen, das Eiweiß steif schlagen
100 g Weizenmehl	steif schlagen und dazugeben
1 Msp. Backpulver	mit dem Eigelb und
etwas Milch	verrühren und das steifgeschlagene Eiweiß unterheben, mit
Salz	abschmecken in einer heißen Pfanne mit
Butter	nicht zu dicke Blinis (etwa 0,5 cm dick) goldgelb backen die Blinis zu Spargel und Lachstatar servieren.

Lammbries mit Apfelsauce und grünem Spargel

600 g Lammbries **(beim Metzger bestellen)**	in reichlich kaltem Wasser wässern Wasser wiederholt wechseln Lammbries in kochendem
Salzwasser	etwa 8 Minuten pochieren das Bries aus dem Wasser herausnehmen und etwas abkühlen lassen, die Häute und Sehnen entfernen und die kleinen Röschen ablösen.
	Für die Apfelsauce
2 Schalotten	abziehen, fein hacken und in
1 Teel. Butter	glasig dünsten
500 ml (½ l) **braunen Lammfond**	und
250 ml (¼ l) Apfelsaft	auf 125 ml (⅛ l) im geöffneten Kochtopf einkochen die Schalotten mit
2 Eßl. Calvados	ablöschen und den reduzierten Saucenfond dazugeben
85 g kalte Butter	in kleinen Stücken mit dem Pürierstab einarbeiten Sauce mit
Salz **frisch gemahlenem** **Pfeffer**	würzen und abschmecken von
500 g grünem Spargel	die unteren Enden abschneiden und den Spargel in Salzwasser etwa 4 Minuten bißfest kochen herausnehmen, abtropfen lassen und mit
50 g Butter	überziehen, das Lammbries mit Salz und Pfeffer würzen etwas Butter in der Bratpfanne erhitzen und das Bries in zwei Portionen jeweils etwa eine Minute braten, auf vorgewärmten Tellern mit der Apfelsauce und dem grünen Spargel dekorativ anrichten.

Leipziger Allerlei
(etwa 8 Portionen)

250 g Spargel	waschen, von oben nach unten dünn schälen, in 4 cm lange Stücke schneiden
500 g Erbsen in der Schote (oder 250 g tiefgekühlte)	aus der Schote palen
1 kleinen Blumenkohl	putzen, waschen, in Röschen teilen
250 g Zuckerschote	waschen
250 g Kohlrabi	waschen, schälen, in Würfel schneiden
250 g Möhren	waschen, schälen, in Scheiben schneiden in einem großen Topf
1 l Gemüsebrühe	zum Kochen bringen Blumenkohl, Erbsen zugeben, nach 10 Minuten den Spargel zufügen, weitere 10 – 20 Minuten garen Gemüse auf einem Durchschlag abtropfen lassen die Hälfte von
80 g Butter	zerlassen Zuckerschoten, Kohlrabi, Karotten darin andünsten, mit
Salz, gemahlenem Pfeffer	würzen
1 Bund glatte Petersilie	abspülen, trockentupfen, die Blättchen von den Stengeln zupfen, fein hacken, mit der restlichen Butter, dem abgetropften Gemüse unter das gedünstete Gemüse heben
Beilagen	Feine Fleischgerichte.
Tip	Es ist empfehlenswert, Leipziger Allerlei in größeren Mengen zuzubereiten und dann einzufrieren. Es sollte dann jedoch nicht zu weich gegart werden.

Omelett mit grünen Spargelspitzen

	Von
500 g grünem Spargel	reichlich die holzigen Enden abschneiden, den Spargel ungeschält bündeln und stehend oder liegend in leicht gesalzenes, kochendes Wasser geben
1 Prise Zucker	
60 g Butter	hinzufügen
	den Spargel 15 – 20 Minuten garen
	herausnehmen und die Spargelstangen halbieren, die unteren Enden anderweitig, z. B. für eine Spargel-Creme-Suppe, verwenden, die Spargelspitzen abtropfen lassen, in eine Serviette schlagen und warm stellen
2 Rindersteaks (je 100 g)	mit etwa
20 g Butter	bestreichen und in einer erhitzten Teflonpfanne auf beiden Seiten zwischen 2 und 4 Minuten anbraten
	aus der Pfanne nehmen, feinstreifig schneiden und ebenfalls warm stellen
6 – 8 Eier	mit
3 – 4 Eßl. Wasser	
Salz	
gemahlenem weißem Pfeffer	
geriebener Muskatnuß	gut verschlagen, restliche Butter in der Pfanne erwärmen aus der Eimasse vier Omeletts backen, die Omeletts auf vier vorgewärmte Teller gleiten lassen, je eine Omelettháfte mit Spargelspitzen und Rinderfilets-Streifen belegen, mit der nach Packungsanleitung erwärmten
250 ml (¼ l) Sauce béarnaise	(je Omelett etwa 60 ml) übergießen
	Omeletts zuklappen und mit
40 g kleinen Champignons (Dose)	und
Dillspitzen	garniert servieren.

Spaghetti mit Spargel

(Foto Seite 39)

500 g Spargel	von oben nach unten schälen, darauf achten, daß Schalen und holzige Stücke völlig entfernt, die Köpfe aber nicht verletzt werden, den Spargel waschen, in kleine Stücke schneiden, in
2 l kochendes Salzwasser	geben, etwas
Zucker	hinzufügen, zum Kochen bringen, in etwa 15 Minuten gar kochen lassen, die Spargelstücke herausnehmen, warm stellen

400 g Spaghetti	in das kochende Wasser geben, zum Kochen bringen, ab und zu umrühren, in etwa 10 Minuten gar kochen lassen die Spaghetti auf ein Sieb geben, mit lauwarmem Wasser abspülen, abtropfen lassen, warm stellen
1 Zwiebel	
1 Knoblauchzehe	beide Zutaten abziehen, fein würfeln
250 g gekochten Schinken	in Würfel schneiden
1 Eßl. Butter	zerlassen, Zwiebel- und Knoblauchwürfel darin anbraten
3 Eier	mit
100 g Parmesan-Käse	verrühren, unter den Schinken rühren, zu den Zwiebelwürfeln geben, stocken lassen, die Masse strichweise vom Boden der Pfanne losrühren die Spaghetti mit der Schinken-Ei-Masse und dem Spargel vermengen.

Spargel „Art déco"

1,5 kg weißen und grünen Spargel	schälen (bei grünem Spargel nur das untere Drittel), den Spargel waschen, die Enden abschneiden, in
kochendes Salzwasser	geben, zum Kochen bringen, 15 – 20 Minuten kochen lassen, warm stellen.

Für die Sauce

357 ml (⅜ l) Schlagsahne	auf die Hälfte einkochen lassen
3 – 4 Eßl. trockenen Weißwein	unterrühren, die Sauce mit
Salz	
frisch gemahlenem Pfeffer	würzen den Spargel in der Sauce anrichten
4 Scheiben Weißbrot	entrinden, fein reiben die Weißbrotbrösel in
150 g zerlassener Butter	rösten, über den Spargel geben, sofort servieren.
Tip	Spiegeleier dazu reichen.

Spargel „Mailänder Art"

(4 – 6 Portionen)

2 kg weißen Stangenspargel	vorsichtig vom Kopf zum Ende schälen, evtl. holzige Enden abschneiden
2 l Wasser	mit
etwas Salz	
Zucker	
20 g Butter	zum Kochen bringen, den Spargel hineingeben, 15 – 20 Minuten kochen, abtropfen lassen, in eine feuerfeste Form geben
200 g Pökelzunge oder gekochten Schinken (in Scheiben)	in Streifen schneiden
150 g frische Champignons	putzen, abreiben, in Scheiben schneiden
2 Fleischtomaten	kurz in kochendes Wasser legen (nicht kochen lassen), in kaltem Wasser abschrecken, enthäuten, halbieren, entkernen, Stengelansatz herausschneiden, das Fruchtfleisch in Streifen schneiden
1 Bund Basilikum	abspülen, trockentupfen, die Blättchen von den Stengeln zupfen, in Streifen schneiden
40 g Butter	zerlassen, Pökelzunge oder Schinken, Champignons, Tomaten, Basilikum darin etwa 5 Minuten dünsten, mit
Salz	
frisch gemahlenem Pfeffer	würzen, auf dem Spargel verteilen
200 g Bel Paese-Käse (italienischer Weichkäse)	würfeln, über den Spargel verteilen, mit
40 g geriebenem Parmesan	bestreuen, die Form auf dem Rost in den Backofen schieben und backen, bis der Käse hellbraun wird
Ober-/Unterhitze	etwa 200 °C (vorgeheizt)
Heißluft	etwa 180 °C (nicht vorgeheizt)
Gas	Stufe 3 – 4 (vorgeheizt)
Backzeit	etwa 20 Minuten.

Spargel kaiserliche Art, Rezept Seite 25

Spargel mit abgeschlagener Sauce, Rezept Seite 26

Spaghetti mit Spargel, Rezept Seite 34

Schinken-Spargel-Omelett, Rezept Seite 45

Stangenspargel mit Schinken oder Käse

(Für 1 Portion)

Mit Schinken

300 g Stangenspargel	Spargel schälen
Salzwasser	zum Kochen bringen
wenig Zitronensaft	hinzugeben, Spargel darin garen
	mit
100 g (2 Scheiben) magerem gekochtem Schinken	anrichten
15 g (1 Eßl.) Butter	zerlassen, darübergeben, mit
gehackter Petersilie	bestreut servieren.

Mit Käse

300 g Stangenspargel	Spargel schälen
Salzwasser	zum Kochen bringen
wenig Zitronensaft	hinzugeben, Spargel darin etwa 20 Minuten garen
	mit
50 g (2 Scheiben) Emmentaler Käse	über den Spargel legen und kurz überbacken
	mit
gehackter Petersilie	bestreut servieren.

Überbackener Spargel mit Parmesan

1,5 kg Spargel	schälen, waschen, die Enden abschneiden, in
kochendes Salzwasser	geben, mit
1 Prise Zucker	in etwa 10 Minuten halbgar kochen, gut abtropfen lassen
100 g Parmesan-Käse	reiben Spargel und Käse abwechselnd in gefettete Auflaufform füllen, mit
frisch gemahlenem Pfeffer	würzen und mit
50 g zerlassener Butter	beträufeln
	die Form mit Alufolie bedecken und auf dem Rost in den Backofen schieben
Ober-/Unterhitze	180 – 200 °C (vorgeheizt)
Heißluft	160 – 180 °C (nicht vorgeheizt)
Gas	Stufe 3 – 4
Backzeit	etwa 10 Minuten
	dann den Auflauf noch weitere 5 Minuten ohne Alufolie leicht überbacken.

Überkrusteter Spargel

	Von
1 kg Spargel	die Stengel von oben nach unten schälen, darauf achten, daß die Schalen und holzigen Stücke völlig entfernt, die Köpfe aber nicht verletzt werden, den Spargel waschen
500 ml (½ l) Wasser	mit
etwas Butter	
2 gestr. Teel. Salz	
Zucker	zum Kochen bringen, den Spargel hineingeben, zum Kochen bringen, in 20 – 30 Minuten gar kochen lassen (der Spargel soll kernig bleiben) eine feuerfeste Form mit
Butter oder Margarine	fetten, den Spargel einschichten, 250 ml (¼ l) von dem Spargelwasser abmessen.

Für die Sauce

30 g Butter oder Margarine	zerlassen
40 g Weizenmehl	unter Rühren so lange darin erhitzen, bis es hellgelb ist, das abgemessene Spargelwasser hinzugießen, mit einem Schneebesen durchschlagen, darauf achten, daß keine Klumpen entstehen, zum Kochen bringen, etwa 10 Minuten kochen lassen
1 Eigelb	mit
3 Eßl. Schlagsahne	verschlagen, die Sauce damit abziehen, mit
Salz	abschmecken die Sauce über den Spargel gießen
100 g geriebenen Käse	darüberstreuen
Butter	in Flöckchen darauf setzen die Form ohne Deckel in den Bratofen stellen
Ober-/Unterhitze	200 – 220 °C (vorgeheizt)
Heißluft	180 – 200 °C (nicht vorgeheizt)
Gas	etwa Stufe 4 (vorgeheizt)
Garzeit	etwa 20 Minuten Nachwärme: etwa 5 Minuten den überkrusteten Spargel mit
Tomatenscheiben	
Zitronenstückchen	
Petersilie	garnieren.

Spargel mit Carpaccio von Schweinefilet

2 kg Spargel	vorsichtig vom Kopf zum Ende schälen, evtl. holzige Enden abschneiden, in
2 l Wasser	mit
Salz	
30 g Butter	
½ Teel. Zucker	zum Kochen bringen, den Spargel hineingeben, zum Kochen bringen, in 15 – 20 Minuten gar kochen, aus dem Kochsud nehmen, abtropfen lassen, warm stellen
400 g Schweinefilet	unter fließendem kaltem Wasser abspülen, trockentupfen, evtl. von Fett und Sehnen befreien, im Tiefkühlfach etwas anfrieren lassen.

Für die Sauce

2 Bund Schnittlauch	waschen, in feine Röllchen schneiden, mit
2 Bechern (300 g) Crème fraîche	verrühren, mit
Salz	
frisch gemahlenem schwarzem Pfeffer	
etwas Zitronensaft	würzen
	den Spargel auf vier flachen Tellern verteilen die Crème-fraîche-Sauce darübergeben, das angefrorene Schweinefilet in hauchdünne Scheiben schneiden (am besten mit einem elektrischen Messer), fächerförmig auf dem Spargel anrichten, mit
Salz	
frisch gemahlenem Pfeffer	bestreuen.

Spargelspitzen mit Kaviarsahne und Wachteleiern

Für die Kaviarsahne

200 g Crème double	mit
Salz	
frisch gemahlenem weißem Pfeffer	würzen
50 g Keta-Kaviar	und
2 Eßl. Weißwein	unterrühren und abschmecken
1 kg Spargel	waschen, schälen und die unteren Enden so abschneiden, daß die Spargelspitzen gleich lang sind Spargelspitzen in Salzwasser, mit
1 Prise Zucker	und
1 Teel. Butter	etwa 8 Minuten bißfest kochen und abtropfen lassen
8 gekochte Wachteleier	pellen

Spargel auf vorgewärmte Teller verteilen und mit der Kaviarsahne angießen, Wachteleier halbieren und dekorativ darauf anrichten, mit

Kerbelblättchen garnieren und servieren.

Tip Dazu passen Pellkartöffelchen.

Rheinpfälzer Spargelsoufflé

1 kg Spargel	schälen, waschen, in Stücke schneiden
	Spargelstücke in
375 ml (⅜ l) Wasser	mit
Salz	
1 Teel. Zucker	
20 g Butter	etwa 15 Minuten kochen lassen
	Spargel gut abtropfen lassen, vom Kochwasser
	250 ml (¼ l) abmessen
600 g Kartoffeln	gründlich waschen, kochen, pellen, abkühlen lassen
	Kartoffeln in Scheiben schneiden
	Kartoffelscheiben in eine gebutterte Auflaufform schichten
250 g gekochten Schinken (Scheiben)	auf den Kartoffelscheiben verteilen, die Spargelstücke darauf geben
	aus
25 g Margarine	
25 g Weizenmehl	und Spargelbrühe eine helle Sauce zubereiten
125 ml (⅛ l) Weißwein	hinzufügen
1 Ecke Sahne-Schmelzkäse	kleinschneiden und mit
100 g Crème fraîche	schnell unterrühren, mit
Pfeffer	abschmecken
	das Soufflé mit
50 g geriebenem Gouda	bestreuen, in den Backofen schieben
Ober-/Unterhitze	etwa 200 °C (vorgeheizt)
Heißluft	etwa 180 °C (nicht vorgeheizt)
Gas	etwa Stufe 3 – 4 (vorgeheizt)
Backzeit	25 – 30 Minuten.

Schinken-Spargel-Omelett

(Foto Seite 40)

1 Dose Spargelspitzen (315 ml) oder 250 g frischen Spargel	auf einem Sieb abtropfen lassen
200 g gekochten Schinken (4 Scheiben)	in feine Würfel schneiden
20 g Butter	in einer Pfanne zerlassen, Schinken und Spargel bei kleiner Hitze darin erwärmen
8 Eier	mit
4 Eßl. Milch Salz frisch gemahlenem Pfeffer geriebener Muskatnuß	verschlagen
30 g Butter	in einer zweiten Pfanne zerlassen und die Eier-Milch hineingeben, wenn die untere Seite leicht angebraten ist, Schinkenwürfel und Spargel auf ein Drittel des Omeletts geben, die ⅔-Hälfte umschlagen und das Omelett auf vorgewärmte Teller gleiten lassen, mit
etwas gehackter Petersilie	bestreuen und sofort servieren.
Tip	Als Beilage grünen Salat reichen. Je nach Pfannengröße ist es möglich, zwei Omeletts zu backen.

Spargel-Auflauf

2 Brötchen	in kaltem Wasser einweichen, gut ausdrücken
100 g gekochten Schinken	in kleine Würfel schneiden
100 g Butter	geschmeidig rühren, nach und nach
5 Eigelbe 100 g gesiebtes Weizenmehl 250 ml (¼ l) Milch	unterrühren, mit den Brötchen, den Schinkenwürfeln vermengen, mit
Salz frisch gemahlenem Pfeffer	würzen
5 Eiweiße	steif schlagen, unterheben, abwechselnd mit
500 g gekochtem Spargel	in eine gefettete Servierpfanne schichten
1 – 2 Eßl. Semmelbrösel	darüberstreuen, mit
Butterflöckchen	belegen die Pfanne auf dem Rost in den Backofen schieben
Ober-/Unterhitze	etwa 200 °C (vorgeheizt)
Heißluft	etwa 180 °C (nicht vorgeheizt)
Gas	Stufe 3 – 4
Backzeit	etwa 45 Minuten.

Spargel-Garnelen-Gratin

500 g Spargel	von oben nach unten schälen, dabei darauf achten, daß die Schalen vollständig entfernt, die Köpfe aber nicht verletzt werden
	den Spargel in Stücke schneiden, holzige Stellen vollkommen wegschneiden, den Spargel waschen
250 ml (¼ l) Wasser	mit
1 Teel. Salz	
Zucker	
1 Eßl. Butter	zum Kochen bringen, den Spargel hineingeben
	den Spargel in etwa 20 Minuten gar kochen lassen
	den garen Spargel mit einem Schaumlöffel vorsichtig aus dem Kochwasser herausnehmen, Spargelstücke gut abtropfen lassen, dicke Stücke längs halbieren
30 g Butter	zerlassen
30 g Weizenmehl	unter Rühren so lange darin erhitzen, bis es hellgelb ist
	unter ständigem Rühren mit einem Schneebesen
250 ml (¼ l) Flüssigkeit (Spargelwasser mit Wasser aufgefüllt)	nach und nach hinzugießen, darauf achten, daß keine Klümpchen entstehen, die Sauce zum Kochen bringen und etwa 5 Minuten kochen lassen
1 Eigelb	und
1 Eßl. Schlagsahne	verrühren, die Sauce damit legieren und mit
Salz	
Zucker	
2 Teel. Zitronensaft	abschmecken; Spargelstücke mit
150 g Garnelen (frisch oder tiefgekühlt)	(tiefgekühlte Garnelen vorher bei Zimmertemperatur auftauen lassen) in die Sauce geben und unterrühren
	das Ganze in mit
Butter oder Margarine	gefettete Jacobsmuschelschalen oder flache Gratinförmchen füllen und mit
3 Eßl. geriebenem Butterkäse oder Allgäuer Emmentaler	bestreuen, die Muschelförmchen auf ein Backblech stellen, unter dem vorgeheizten Grill 2 – 3 Minuten überbacken, bis der Käse zerlaufen und leicht gebräunt ist
	das Gratin mit
Zitronenscheiben	und
Dillzweigen	garnieren, sofort servieren.

Spargel-Krabben-Gratin in Muscheln

100 g gekochte Spargelabschnitte	gut abtropfen lassen, dicke Stücke längs halbieren
30 g Butter	zerlassen
30 g Weizenmehl	unter Rühren so lange darin erhitzen, bis es hellgelb ist
250 ml (¼ l) Flüssigkeit (Spargelwasser mit Wasser aufgefüllt)	hinzugießen, mit einem Schneebesen durchschlagen, darauf achten, daß keine Klumpen entstehen, die Sauce zum Kochen bringen, etwa 5 Minuten kochen lassen, mit
1 verschlagenen Eigelb	abziehen, mit
Salz	
Zucker	
2 Teel. Zitronensaft	abschmecken, die abgetropften Spargelstücke mit
150 g Krabben (frisch oder tiefgekühlt)	und der Sauce vermengen (tiefgekühlte Krabben vorher auftauen lassen), in mit
Butter oder Margarine	gefettete Muschelförmchen füllen
3 Eßl. geriebenen Butterkäse oder Allgäuer Emmentaler	darüberstreuen die Muschelförmchen auf ein Backblech stellen, im Backofen (mittlere Schiene) überbacken
Ober-/Unterhitze	200 – 220 °C (vorgeheizt)
Heißluft	180 – 200 °C (nicht vorgeheizt)
Gas	Stufe 4 – 5 (vorgeheizt)
Backzeit	5 – 10 Minuten oder unter dem vorgeheizten Grill 2 – 3 Minuten überbacken, bis der Käse zerlaufen und leicht gebräunt ist, das Gratin mit
Zitronenscheiben gewaschenem Dill	garnieren, sofort servieren.

Spargel-Lachs-Gratin mit Sauce hollandaise

4 dünne Scheiben frischen Lachs à 100 g	mit
1 – 2 Eßl. Zitronensaft	beträufeln, mit
frisch gemahlenem schwarzem Pfeffer	und
1 Eßl. frischen Dillspitzen	bestreuen und etwa 30 Minuten marinieren
je 1 kg weißen und grünen Spargel	weißen Spargel von oben nach unten schälen, dabei darauf achten, daß die Schalen vollständig entfernt, die Köpfe aber nicht verletzt werden, die unteren Enden gerade und alle Stangen möglichst gleich lang schneiden (holzige Stellen vollkommen wegschneiden)

	grünen Spargel nur am unteren weißen Ende schälen die unteren Enden gerade und alle Stangen möglichst gleich lang schneiden (holzige Stellen vollkommen wegschneiden) den Spargel waschen, in Portionen bündeln
250 ml (¼ l) Wasser	mit
1 Teel. Salz	
Zucker	
30 g Butter	zum Kochen bringen, den Spargel hineingeben, zum Kochen bringen den Spargel in etwa 15 – 20 Minuten (der weiße Spargel benötigt eine längere Garzeit) gar kochen lassen den garen Spargel mit einem Schaumlöffel vorsichtig aus dem Kochwasser herausnehmen, auf eine vorgewärmte Platte legen, die Fäden entfernen.
	Für die Sauce hollandaise
200 g Butter	zerlassen, etwas abkühlen lassen
2 Eigelbe	mit
2 Eßl. Weißwein	im Wasserbad so lange schlagen, bis die Masse dicklich ist die Schüssel aus dem Wasserbad nehmen, die etwas abgekühlte Butter langsam darunterschlagen Sauce mit
Zitronensaft	
Salz	
etwas Cayennepfeffer	abschmecken eine Auflaufform mit der Butter einfetten den grünen und weißen Spargel mischen, in vier Portionen mit je einer Scheibe Lachs an den Enden umwickeln den Lachs leicht salzen und mit
100 g geriebenem Gruyère-Käse	bestreuen, die Form unter den vorgeheizten Grill schieben und etwa 2 – 3 Minuten überbacken, die Hollandaise zum Lachs-Spargel-Gratin servieren.
Tip	Dazu passen Petersilienreis oder Salzkartoffeln.

Spargelrisotto „Milano"

2 Lauchzwiebeln	putzen, waschen und in Scheiben schneiden von
500 g grünem Spargel	das untere Drittel schälen, harte Enden entfernen, den Spargel in Stücke schneiden in einem Topf
2 Eßl. Olivenöl	erhitzen
250 g Oryza-Milchreis,	die Lauchzwiebeln und
1 Knoblauchzehe, durchgepreßt	1 Minute darin unter Rühren dünsten

1 l Hühnerbrühe (Instant)	hinzugießen, den Spargel hinzufügen nach dem Aufkochen einmal umrühren, 20 Minuten bei schwacher Hitze garen und noch einige Male umrühren zuletzt
2 Eßl. Butter	und
50 g frisch geriebenen Parmesan	vorsichtig untermischen, mit
frisch gemahlenem Pfeffer	
1 Bund gehacktem Basilikum	bestreuen.
Tip	Dazu schmeckt Parmaschinken.

Ährenspargelrisotto mit Morcheln
(Foto Seite 57)

80 g wilden Reis	etwa 1 Stunde in kaltem Wasser einweichen
1 Schalotte	abziehen, fein würfeln, die Hälfte von
50 g Butter	mit
1 Eßl. Olivenöl	in einem großen Topf zerlassen, die Schalottenwürfel darin andünsten
50 ml Weißwein	angießen, etwas einkochen lassen, den wilden Reis abgießen
80 g Risotto-Reis	hinzufügen, etwas von
600 ml Geflügelbrühe	hinzugießen, die Brühe verkochen lassen, erneut mit Brühe aufgießen, bis der Reis gar gekocht ist (nach etwa 25 Minuten)
1 Bund (200 g) Ährenspargel oder wilden Spargel	waschen, nicht schälen, vom unteren Enden etwa ½ cm abschneiden
20 g frische Morcheln kochendem Wasser	gründlich waschen, der Länge nach halbieren, in blanchieren, etwas abkühlen lassen, 1 Teelöffel der restlichen Butter zerlassen, die Morcheln darin kurz anbraten Morcheln und Ährenspargel in das Risotto geben, weitere 3 Minuten garen, die restliche Buttter,
50 g Parmesan-Käse	unterrühren, das Risotto mit
Salz	
Pfeffer	abschmecken.
Tip	Das Risotto in Blätterteigtaschen füllen. Getrocknete Morcheln mit dem wilden Reis einweichen und mitkochen.

Spargel-Vinaigrette

1 kg grünen Spargel	waschen, am untern Ende schälen, in 4 Portionen bündeln, in
Salzwasser	mit
½ Teel. Zucker	
1 Teel. Butter	etwa 10 Minuten zugedeckt garen, abtropfen lassen.

Für die Sauce

½ Teel. Honig	mit
1 Eßl. heißem Spargelwasser	verrühren
2 Eßl. Sherryessig	
Salz	
frisch gemahlenen Pfeffer	
½ Teel. Dijon-Senf	unterrühren, zum Schluß
4 Eßl. Nußöl	
5 Basilikumblätter (in Streifen geschnitten)	unterrühren, die Sauce über den lauwarmen Spargel träufeln
50 g Bündner Fleisch	in sehr feine Streifen schneiden, kurz vor dem Servieren über den Spargel streuen.

Spargel-Täschle mit Feldsalat

(Foto Seite 58)

32 Stangen Spargel	Spargel schälen, kochen, 7 cm lange Spitzen abschneiden
1 Ei	trennen
200 g tiefgekühlten Blätterteig	ausrollen, in Streifen (Durchmesser 1 cm) schneiden, zu 8 Ringen formen, mit Eigelb bestreichen, backen
8 Fleischtomaten	aushöhlen, mit Spargelspitzen füllen
3 Eier	mit
200 g geriebenem Emmentaler	
gerebeltem Oregano	
Salz	
Tabasco	mischen, über den Spargel geben Tomaten in gefetteter Auflaufform in den Backofen schieben
Ober-/Unterhitze	etwa 200 °C (vorgeheizt)
Heißluft	etwa 180 °C (nicht vorgeheizt)
Gas	Stufe 3 – 4 (vorgeheizt)
Backzeit	etwa 15 Minuten
300 g Feldsalat	putzen, waschen, trockenschleudern

150 g Nußschinken	und
Roggenbrot	würfeln, anrösten
	aus
Distelöl	
Estragonessig	
tiefgekühlten	
Salatkräutern	eine Marinade rühren, mit dem Salat, Nußschinken und Roggenbrot verrühren
	Tomaten auf den Blätterteigringen anrichten.

Spargeltorte
(Foto Seite 59)

250 g Weißbrot	entrinden, das Brot der Länge nach in Scheiben schneiden
100 g Butter	zerlassen, die Weißbrotscheiben damit beträufeln und eine Pie- oder Tortenform damit auslegen
375 g gekochten **weißen und grünen** **Spargel**	sternförmig darauf anordnen
125 g Parmaschinken	in kleine Würfel schneiden, über den Spargel streuen
4 Eier	mit
125 ml (⅛ l) Milch	
125 ml (⅛ l) Schlagsahne	
Salz	
frisch gemahlenem **Pfeffer**	
geriebener Muskatnuß	
2 Eßl. geriebenem **Parmesan**	verschlagen, über die Spargeltorte gießen, die Form auf dem Rost in den Backofen schieben
Ober-/Unterhitze	etwa 200 °C (vorgeheizt)
Heißluft	etwa 180 °C (nicht vorgeheizt)
Gas	etwa Stufe 4 (vorgeheizt)
Überbackzeit	etwa 15 Minuten.

Spargeltimbale auf Krebssauce
(Foto Seite 60)

	Für die Timbale
400 g grünen Spargel	nur am unteren weißen Ende schälen, holzige Stellen vollkommen wegschneiden, den Spargel waschen
	vom unteren Ende etwa 2 cm abschneiden, die Stangen in etwa 3 cm lange Stücke schneiden, die Köpfe halbieren, beiseite stellen
200 ml Hühnerbrühe	mit

1 Eßl. Butter	zum Kochen bringen, die Spargelstücke hineingeben, zum Kochen bringen
	den Spargel in etwa 20 Minuten gar kochen lassen, die Köpfe etwa 5 Minuten in kochendem Wasser blanchieren, abtropfen und erkalten lassen
	die weichen Spargelstücke im Mixer pürieren, mit
2 Eiern	und
50 ml Schlagsahne	vermischen, mit
Salz	
frisch gemahlenem weißem Pfeffer	
frisch geriebener Muskatnuß	abschmecken; kleine Souffléförmchen fetten, mit den Spargelköpfen auslegen, die Spargelmasse einfüllen
	die Förmchen in die mit Wasser gefüllte Fettfangschale des Backofens geben und garen
Ober-/Unterhitze	etwa 200 °C (vorgeheizt)
Heißluft	etwa 180 °C (nicht vorgeheizt)
Gas	Stufe 3 – 4 (vorgeheizt)
Garzeit	etwa 20 Minuten.
10 abgekochte Flußkrebse mit Kochsud (beim Fischhändler vorbestellen)	aus den Schalen brechen, das Schwanzfleisch beiseite stellen.

Für die Krebssauce

2 Eßl. Butter	und
2 Eßl. Speiseöl	in einer Pfanne zerlassen, die Schalen der Krebse darin anrösten
2 Eßl. feingeschnittenes Gemüse z. B. Möhren, Lauch, Zwiebel, Sellerie	hinzufügen und kurz mitrösten
	die Masse mit
2 cl Cognac	flambieren
100 ml Weißwein	
200 ml Fischfond	
2 gehäutete, entkernte gewürfelte Tomaten	hinzugeben und etwa 20 Minuten einkochen lassen
	Sauce durch ein Sieb passieren
100 ml Schlagsahne	mit Salz und Pfeffer abschmecken
	die Krebsschwänze halbieren, mit
1 kleingehackten Schalotte	
1 Teel. Butter	
50 ml Weißwein	kurz dünsten, die Sauce auf Teller verteilen, die Timbale darauf stürzen, die Krebsschwänze dazulegen und mit
einigen Kerbelblättchen	garnieren.

Spargelstrudel
(Für 8 Portionen)

	Für den Strudelteig
200 g Weizenmehl	in eine Rührschüssel sieben
1 Msp. Salz	
4 Eßl. Sonnenblumenöl	
5 Eßl. Wasser	hinzufügen
	alle Zutaten mit Handrührgerät mit Knethaken zunächst kurz auf niedrigster, dann auf höchster Stufe gut durcharbeiten, anschließend auf der Arbeitsfläche zu einem glatten Teig verkneten, sollte er kleben, ihn eine Zeitlang kalt stellen
	den Teig auf Pergamentpapier in einen heißen, trockenen Kochtopf legen (vorher Wasser darin kochen), mit einem Deckel verschließen, etwa 30 Minuten ruhen lassen, den Teig auf einem bemehlten großen Tuch (Küchentuch) ausrollen, dünn mit etwas
Sonnenblumenöl	bestreichen, den Teig anheben, über den Handrücken zu einem Rechteck (60 × 50 cm) ausziehen, er muß durchsichtig sein, die Ränder, wenn sie dicker sind, abschneiden
	den Teig mit etwas von dem Fett bestreichen, zugedeckt etwa 30 Minuten ruhen lassen.

Für die Füllung

800 g grünen Spargel	
600 g weißen Spargel	von oben nach unten schälen, darauf achten, daß die Schalen vollständig entfernt, die Köpfe aber nicht verletzt werden, die unteren Enden gerade und alle Stangen möglichst gleich lang schneiden, holzige Stellen vollkommen wegschneiden, den Spargel waschen
	die Spargelköpfe abschneiden und getrennt in
Salzwasser	etwa 10 Minuten garen, die Spargelstangen kleinschneiden, in Salzwasser etwa 20 Minuten garen, das Wasser abgießen, die Spargelstücke mit einem Handrührgerät mit Pürierstab fein pürieren
	das Spargelpüree in eine Schüssel geben, etwas erkalten lassen
4 Eigelbe	
100 g Speisequark	
2 Eßl. Weizenmehl	
3 Teel. Speisestärke	hinzugeben, unterrühren, mit
Salz	
frisch gemahlenem	
Pfeffer	würzen, im Kühlschrank vollständig abkühlen lassen, die Teigfläche (60 × 50 cm) mit

4 Eßl. Semmelbröseln	bestreuen, auf ⅔ der Fläche die Spargelfüllung ausstreichen
	die gut abgetropften Spargelspitzen auf der Spargelfüllung verteilen
	durch leichtes Anheben des Tuches den Teig nun vorsichtig einrollen
	das letzte Drittel mit
etwas von 30 g flüssiger Butter	bestreichen, den Strudel ganz einrollen, ein Backblech mit Backpapier auslegen, den Strudel darauflegen, mit flüssiger Butter bestreichen
Ober-/Unterhitze	etwa 180 °C (vorgeheizt)
Heißluft	etwa 160 °C (nicht vorgeheizt)
Gas	etwa Stufe 3 (vorgeheizt)
Backzeit	50 – 60 Minuten
	mit der restlichen Butter während des Backens bestreichen
250 ml (¼ l) Sauce hollandaise (Fertigprodukt)	nach Packungsvorschrift erwärmen
1 Eßl. frische Kräuter	über den Strudel geben.

Spargelsoufflé aus der Pfalz

1 kg Spargel	von oben nach unten schälen, dabei darauf achten, daß die Schalen vollständig entfernt, die Köpfe aber nicht verletzt werden
	den Spargel in Stücke schneiden, den Spargel waschen
375 ml (⅜ l) Wasser	mit
1 Teel. Salz	
Zucker	
1 Eßl. Butter	zum Kochen bringen, den Spargel hineingeben, zum Kochen bringen
	den Spargel in etwa 15 Minuten gar kochen lassen
	den garen Spargel mit einem Schaumlöffel vorsichtig aus dem Kochwasser herausnehmen, vom Kochwasser 250 ml (¼ l) abmessen
600 g Kartoffeln	gründlich waschen, in Wasser zum Kochen bringen, in 20 – 25 Minuten gar kochen lassen, abgießen, pellen, abkühlen lassen, Kartoffeln in Scheiben schneiden
	Kartoffelscheiben in eine gebutterte Auflaufform schichten
250 g gekochten Schinken (Scheiben)	in Streifen schneiden, auf den Kartoffelscheiben verteilen, die Spargelstücke daraufgeben
25 g Butter	
20 g Weizenmehl	unter Rühren so lange darin erhitzen, bis es hellgelb ist
	Spargelbrühe hinzugießen, mit einem Schneebesen durchschlagen, darauf achten, daß keine Klümpchen entstehen
	die Sauce zum Kochen bringen, etwa 5 Minuten kochen lassen

4 Eßl. Weißwein	hinzufügen
1 Ecke Sahne-	
Schmelzkäse	kleinschneiden und mit
2 Eßl. Crème fraîche	schnell unterrühren, mit
frisch	
gemahlenem	
Pfeffer	
Salz	abschmecken
	die Masse über die eingeschichteten Zutaten füllen
	das Soufflé mit
50 g geriebenem Gouda	bestreuen, mit
20 g Butterflöckchen	belegen, auf dem Rost in den Backofen schieben.
Ober-/Unterhitze	etwa 200 °C (vorgeheizt)
Heißluft	etwa 180 °C (nicht vorgeheizt)
Gas	Stufe 3 – 4 (vorgeheizt)
Backzeit	etwa 25 Minuten.

Spargelsoufflé mit Orangen

(Foto Seite 77)

600 g frischen Spargel	schälen, in 8 – 10 cm lange Stücke schneiden
	in
Salzwasser	mit
Zucker	halbgar kochen
1 Orange (unbehandelt)	gründlich waschen und abtrocknen
	die Schale abreiben und den Saft auspressen
1 Eßl. Butter	zerlassen
1 Eßl. Weizenmehl	unter Rühren darin anschwitzen, mit
125 ml (⅛ l) Spargelwasser	unter Rühren löschen und mit der geriebenen
	Orangenschale kurz einkochen lassen
	die Spargelstangen gut abtropfen lassen und in einer
	flachen, gebutterten und mit einem Teil von
2 Eßl. Mandelsplittern	bestreuten Form verteilen
125 ml (⅛ l) Schlagsahne	
2 Eigelbe	verschlagen, die Sauce damit binden
	Orangensaft dazugeben, mit
Salz	
Pfeffer aus der Mühle	abschmecken
2 Eiweiße	steif schlagen, mit der Sauce vermengen
	die Eiercreme über den Spargel geben, mit den restlichen
	Mandeln bestreuen
	das Soufflé in den Backofen schieben,
Ober-/Unterhitze	200 – 220 °C (vorgeheizt)
Heißluft	180 – 200 °C (nicht vorgeheizt)
Gas	Stufe 4 – 5 (vorgeheizt)
Backzeit	etwa 20 Minuten.

Gemüsetorte mit Spargel und Brokkoli

300 g Blätterteig (tiefgekühlt)	nach Packungsvorschrift auftauen lassen, eine Springform (Durchmesser 26 cm) mit Wasser ausspülen, die Hälfte des Blätterteigs aufeinanderlegen, zu einer runden Platte mit etwa 26 cm Durchmesser ausrollen, auf den Boden der Springform legen, evtl. überstehende Stücke abschneiden, auf den Boden legen, den Rest des Blätterteigs längs halbieren, den Rand damit auskleiden, evtl. übriggebliebene Stücke auf den Boden legen, den Boden mehrmals mit einer Gabel einstechen
300 g Spargel	von oben nach unten schälen, die unteren Enden knapp abschneiden, den Spargel waschen, die Spargelstangen in etwa 3 cm lange Stücke schneiden, von
300 g Broccoli	die Blätter entfernen, den Brokkoli waschen, in Röschen teilen
2 kleine Frühlingszwiebeln	putzen, waschen, in Ringe schneiden
150 g kleine Zucchini	putzen, waschen, längs halbieren, in Scheiben schneiden Brokkoli und Spargel in kochendem
Salzwasser	4 Minuten blanchieren, kalt abschrecken, abtropfen lassen
½ Bund Schnittlauch	abspülen, in feine Ringe schneiden, mit Brokkoli, Spargel, Frühlingszwiebel und Zucchini in eine Schüssel geben
2 Eier	mit 150 ml von
1 Päckchen (250 ml) Sauce hollandaise (Fertigprodukt)	
125 ml (⅛ l) Schlagsahne	verquirlen
30 g geriebenen Greyerzer Käse	hinzufügen, über das Gemüse gießen, alles gut vermengen, mit
Salz frisch gemahlenem Pfeffer geriebener Muskatnuß	würzen, das Gemüse mit der Eiermasse auf dem Blätterteigboden verteilen, goldgelb backen
Ober-/Unterhitze	etwa 180 °C (vorgeheizt)
Heißluft	etwa 160 °C (nicht vorgeheizt)
Gas	Stufe 3 – 4 (vorgeheizt)
Backzeit	40 – 50 Minuten die restliche Sauce hollandaise nach Packungsanweisung erhitzen, die Gemüsetorte aus der Form lösen und zusammen mit der Sauce hollandaise servieren.
Tip	Die Torte kann auch in Portionsförmchen zubereitet werden, dazu 4 Förmchen mit einem Durchmesser von 10 – 12 cm verwenden.

Ährenspargelrisotto mit Morcheln, Rezept Seite 49

Spargel-Täschle mit Feldsalat, Rezept Seite 50

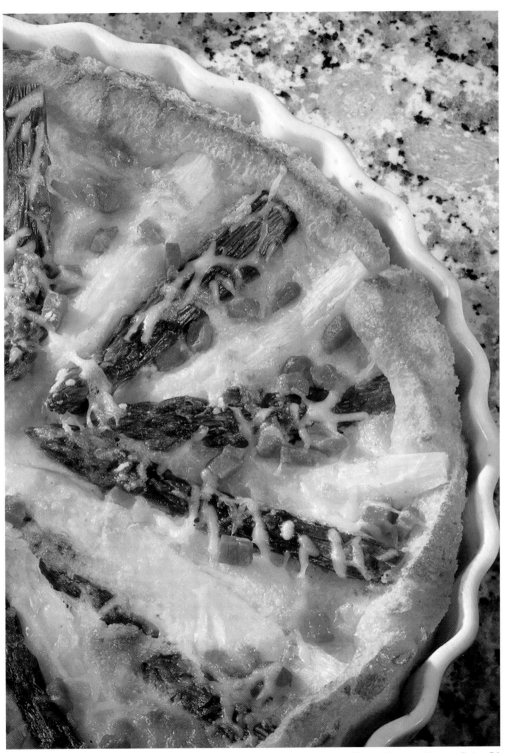

Spargeltorte, Rezept Seite 51

Spargeltimbale auf Krebssauce, Rezept Seite 51

Crêperollen mit grünem Spargel

(4 Stück – für 2 Portionen, Foto Seite 78)

Für den Crêpeteig

60 g Weizenmehl in eine Schüssel sieben, in die Mitte eine Vertiefung eindrücken

1 großes Ei hineinschlagen

Salz hinzugeben, von der Mitte aus mit dem Mehl zu einem festen Kloß verrühren

125 ml (⅛ l) Milch unter Rühren langsam hinzugeben, bis ein dickflüssiger Teig entsteht, dabei darauf auchten, daß sich keine Klümpchen bilden

15 g zerlassene Butter
1 Eßl. gehackte
Küchenkräuter hinzufügen, unterrühren, den Teig 15 – 30 Minuten stehen lassen

30 g Butter in einer Pfanne erhitzen, etwas Teig mit einer drehenden Bewegung gleichmäßig auf dem Boden der Pfanne verteilen
sobald die Ränder goldgelb sind, die Crêpes mit einem Pfannenwender oder Holzspatel lösen, wenden und auf der anderen Seite fertigbacken
die restlichen Crêpes auf dieselbe Weise backen
den Teig vor jedem Backen umrühren.

Für die Füllung

600 g grünen Spargel von oben nach unten schälen, darauf achten, daß die Schalen vollständig entfernt werden, die unteren Enden gerade und alle Enden möglichst gleich lang schneiden (holzige Stellen vollkommen wegschneiden), den Spargel waschen, in

500 ml (½ l)
Geflügelbrühe mit
1 Msp. Zucker
Salz
frisch gemahlenem
Pfeffer garen, gut abtropfen lassen und warm stellen.

Für die Sauce

1 Orange (unbehandelt) gründlich waschen und bürsten, lange Streifen abschälen, die Streifen kurz in heißem Wasser blanchieren, die Schale zur Dekoration in der Längsrichtung in dünne Streifen schneiden, etwa einen halben Teelöffel für die Sauce zurückbehalten

1 Eßl. Butter zerlassen

2 Eßl. Weizenmehl unter Rühren so lange darin erhitzen, bis es hellgelb ist, mit etwas Brühe ablöschen und etwa 5 Minuten einkochen lassen

4 Eßl. Crême fraîche mit

1 Eigelb,	Orangensaft und etwas Orangenschale darunterrühren, mit
Salz	
frisch gemahlenem	
Pfeffer	abschmecken
	Crêpes auf beiden Seiten backen, um die Spargelstangen wickeln und in eine mit
30 g Butter	gefettete Gratinform legen
	mit Sauce übergießen, mit
50 g geriebenem Käse	bestreuen und im Backofen überbacken
Ober-/Unterhitze	etwa 180 °C (vorgeheizt)
Heißluft	etwa 150 °C (nicht vorgeheizt)
Gas	Stufe 3 – 4 (vorgeheizt)
Backzeit	etwa 15 Minuten
	vor dem Servieren mit
1 Eßl. gehacktem	
Schnittlauch	bestreuen, mit Orangenstreifen verzieren.
	Die restliche Sauce getrennt dazu reichen.
Tip	Dieses festliche Rezept läßt sich auch mit Schwarzwurzeln oder Porree zubereiten.

Spargelsuppe

250 g Suppenspargel	von oben nach unten schälen, darauf achten, daß Schalen und holzige Stücke völlig entfernt, die Köpfe aber nicht verletzt werden, den Spargel waschen, in 3 cm lange Stücke schneiden, in
1 l kochendes Salzwasser	geben, zum Kochen bringen, in etwa 25 Minuten gar kochen lassen, das Spargelwasser durch ein Sieb gießen, auffangen
40 g Butter oder Margarine	zerlassen
40 g Weizenmehl	unter Rühren so lange darin erhitzen, bis es hellgelb ist, das Spargelwasser,
250 ml (¼ l) Milch	hinzugießen, mit einem Schneebesen durchschlagen, zum Kochen bringen, etwa 10 Minuten kochen lassen, die Spargelstückchen hinzugeben, nach Belieben
1 Eigelb	mit
2 Eßl. Schlagsahne oder Dosenmilch	verschlagen, die Suppe damit abziehen, mit
Salz	abschmecken.

Spargelsuppe mit Kalbfleischklößchen

300 g mageres Kalbfleisch	durch die feine Scheibe des Fleischwolfes drehen
3 Scheiben Toastbrot	entrinden, das Brot in kaltem Wasser einweichen, ausdrücken, mit
1 Ei	zu dem Fleisch geben
1 Bund Basilikum	fein hacken, unter den Fleischteig kneten, den Teig mit
Salz frisch gemahlenem Pfeffer geriebener Muskatnuß	
kochendem Wasser	abschmecken, 36 – 40 kleine Klöße daraus formen, in 15 Minuten gar ziehen lassen
500 g weißen und grünen Spargel	schälen (bei grünem Spargel nur das untere Drittel), waschen, die Enden abschneiden, den Spargel in Stücke schneiden
1 l Rindfleischbrühe	mit
20 g Butter 1 Prise Zucker	zum Kochen bringen, den Spargel darin 15 – 20 Minuten kochen, die Fleischklößchen in die Suppe geben, mit Salz, Pfeffer würzen
1 Bund glatte Petersilie	fein hacken, vor dem Servieren in die Suppe geben.

Spargelsuppe mit Krebsschwänzen und Zucchiniperlen

(Foto Seite 79)

1 kg Spargel	waschen, vom Kopf zu den Enden schälen, die Köpfe in etwa 5 cm Länge abschneiden, in wenig
Salzwasser	etwa 10 Minuten kochen, beiseite stellen die Spargelstangen in kleine Stücke schneiden und zusammen mit den Schalen in
500 ml (½ l) Salzwasser	mit
1 Teel. Butter	
1 Prise Zucker	zu einem Fond verkochen, den Fond von den Spargelköpfen dazugeben, 500 ml (½ l) abmessen
1 große Zucchini	abspülen, mit einem kleinen Kugelausstecher Kugeln ausstechen
	50 g von
150 g Butter	zerlassen, die Zucchinikugeln darin andünsten
1 Bund Dill	abspülen, trockentupfen, die Blättchen von den Stengeln zupfen, einige Spitzen zum Garnieren beiseite legen, den Rest hacken, zusammen mit
16 ausgelösten Riesengarnelen	zu den Zucchinikugeln geben, kurz andünsten, mit
200 ml trockenem Weißwein	ablöschen, den Spargelfond und
400 ml Schlagsahne	hinzufügen und auf ⅔ der Menge einkochen lassen, mit
Salz	
frisch gemahlenem weißem Pfeffer	abschmecken, die restliche Butter mit einem Schneebesen in kleinen Flöckchen unterschlagen, die Spargelköpfe in die Suppe geben, die Suppe in Teller füllen, mit Dillspitzen garnieren und servieren.

Spargelcremesuppe mit schwarzen Trüffeln

250 g Spargel	sorgfältig von oben nach unten schälen, die unteren Enden abschneiden, den Spargel waschen, in Stücke schneiden, in
250 ml (¼ l) kochendes Salzwasser	geben, zum Kochen bringen, etwa 15 Minuten kochen lassen, den Spargel herausnehmen, einige Spargelspitzen beiseite legen, den übrigen Spargel pürieren, wieder in die Kochflüssigkeit geben
40 g schwarze Trüffeln	unter fließendem kaltem Wasser sauberbürsten, abtropfen lassen, die Trüffeln dünn schälen, in dünne Scheiben schneiden
1 Eßl. Butter	zerlassen, die Trüffelscheiben darin in 25 – 30 Minuten gar dünsten lassen, warm stellen
50 g Butter	zerlassen

1 schwach geh. Eßl. Weizenmehl	unter Rühren so lange darin erhitzen, bis es hellgelb ist
750 ml (³/₄ l) Hühnerbrühe	hinzugießen, mit einem Schneebesen durchschlagen, darauf achten, daß keine Klumpen entstehen, die Suppe zum Kochen bringen, etwa 5 Minuten kochen lassen das Spargelpüree,
5 – 6 Eßl. Schlagsahne	unterrühren, erhitzen, die Suppe mit
Salz	würzen die gedünsteten Trüffelscheiben, die zurückgelassenen Spargelspitzen in die Suppe geben, erhitzen, die Spargelcremesuppe sofort servieren.

Spargelcreme „Solothurn"

250 g Suppenspargel	sorgfältig von oben nach unten schälen, die unteren Enden abschneiden, den Spargel waschen, in 3 cm lange Stücke schneiden, in
250 ml (¼ l) kochendes Salzwasser	geben, zum Kochen bringen, etwa 15 Minuten kochen lassen, den Spargel herausnehmen, das Spargelwasser durch ein Sieb gießen, 125 ml (⅛ l) davon abmessen
300 g junge weiße Schopftintlinge oder Champignons	putzen, unter fließendem kaltem Wasser abspülen, abtropfen lassen, Pilzhüte und Stiele in kleine Stücke schneiden
2 Eßl. Butter	zerlassen, die Pilzstückchen 3 – 4 Minuten darin dünsten lassen
1 Eßl. Weizenmehl	darüberstäuben, unter Rühren so lange darin erhitzen, bis es hellgelb ist die abgemessene Spargelflüssigkeit
1 l Hühnerbrühe	hinzugießen, mit einem Schneebesen durchschlagen, zum Kochen bringen, etwa 5 Minuten kochen lassen, die gekochten Spargelstücke hinzufügen, miterhitzen
75 ml Schlagsahne	mit
3 Eigelben	verschlagen, die Suppe damit legieren, mit
Salz	abschmecken
2 Eßl. gemischte gehackte Kräuter (glatte Petersilie, Kerbel, Zitronenmelisse)	in die Spargelcreme rühren.

Spargel-Reis-Suppe

500 g Spargel	von oben nach unten schälen, darauf achten, daß Schalen und holzige Stücke völlig entfernt, die Köpfe aber nicht verletzt werden, den Spargel waschen, in etwa 3 cm lange Stücke schneiden, die Schalen mit
500 ml (½ l) Wasser	zum Kochen bringen, 15 Minuten kochen lassen, abgießen, das Spargelwasser auffangen, die Spargelstücke hineingeben, zum Kochen bringen, etwa 15 Minuten kochen lassen
125 g Langkornreis	in
250 ml (¼ l) kochendes Salzwasser	geben, zum Kochen bringen, in etwa 15 Minuten ausquellen lassen den garen Reis auf ein Sieb geben, mit kaltem Wasser übergießen, abtropfen lassen
1 Bund Kerbel	vorsichtig unter fließendem kaltem Wasser abspülen, trockentupfen, fein hacken
1 Eßl. Butter	zerlassen, den feingehackten Kerbel darin andünsten
500 ml (½ l) Hühnerbrühe	hinzugießen, zum Kochen bringen, Spargel mit Spargelwasser, Reis in die Suppe geben, erhitzen, mit
frisch gemahlenem Pfeffer Salz geriebener Muskatnuß Zitronensaft	abschmecken.

Spargel-Kerbel-Suppe

(Foto Seite 80)

200 g Tatar	mit
2 Eßl. Butter 1 Eigelb etwas Semmelbröseln 1 Eßl. feingehackte Petersilie Salz	zu einer geschmeidigen Masse verkneten, mit
frisch gemahlenem Pfeffer geriebener Muskatnuß	würzen, aus der Masse Klößchen formen.

Für die Suppe

750 g Spargel	schälen, die Enden abschneiden, den Spargel waschen, abtropfen lassen, in etwa 3 cm lange Stücke schneiden
250 g Champignons	putzen, waschen, in Scheiben schneiden
1 Bund Suppengrün	
3 Frühlingszwiebeln	beide Zutaten putzen, waschen, in feine Streifen schneiden
3 Eßl. Butter	zerlassen, Suppengrün- und Zwiebelstreifen darin leicht andünsten
1 l Fleischbrühe	hinzugießen, zum Kochen bringen, die Spargelstückchen darin zum Kochen bringen, nach etwa 10 Minuten die Champignons und die Klößchen dazugeben, etwa 5 Minuten bei schwacher Hitze mitkochen lassen
3 Eßl. Crème fraîche	unterrühren
4 Eßl. gehackte Kerbelblättchen	über die Suppe geben.
Beigabe	Toast, Butter.

Spargel-Creme-Suppe

250 g Suppenspargel	waschen, von oben nach unten schälen, darauf achten, daß Schalen und holzige Stücke völlig entfernt, die Köpfe aber nicht verletzt werden den Spargel in 3 cm lange Stücke schneiden
500 ml (½ l) Wasser	mit
Salz	
1 gestr. Teel. Zucker	
10 g Butter	zum Kochen bringen, Spargelenden und -schalen hinzufügen, zum Kochen bringen, in etwa 30 Minuten gar kochen lassen das Spargelwasser durch ein Sieb gießen, mit
250 ml (¼ l) Milch	auffüllen, die Spargelstücke hineingeben, zum Kochen bringen, in 20 – 25 Minuten gar kochen lassen, zum Abtropfen auf ein Sieb geben, von der Flüssigkeit 500 ml (½ l) abmessen
20 g Butter oder Margarine	zerlassen
15 g Weizenmehl	unter Rühren so lange darin erhitzen, bis es hellgelb ist
500 ml (½ l) Spargelkochflüssigkeit	hinzugießen, mit einem Schneebesen durchschlagen, darauf achten, daß keine Klumpen entstehen, die Suppe zum Kochen bringen, 5 Minuten kochen lassen, mit Salz,
Zucker	abschmecken
1 Eigelb	mit
2 Eßl. Schlagsahne	verschlagen, die Suppe damit abziehen (nicht mehr kochen lassen)
50 g gekochte Schinkenscheiben	in Streifen schneiden, mit den Spargelstücken in die Suppe geben, mit
1 Eßl. gehackter Petersilie	bestreuen.

Spargel-Creme-Suppe mit Forellenklößchen

Für die Forellenklößchen

100 g Forellenfilet
125 ml (⅛ l) Schlagsahne vor der Verarbeitung gut durchkühlen
das Forellenfilet in kleine Würfel schneiden,
dabei auf evtl. noch vorhandene Gräten achten
die Forellenwürfelchen mit der Sahne und
1 Eiweiß im Mixer pürieren, mit
Salz
frisch gemahlenem
weißem Pfeffer würzen
die Fischmasse im Kühlschrank 1 Stunde ruhen lassen.

Für die Spargel-Creme-Suppe

250 g Suppen- oder
Bruchspargel von oben nach unten schälen
Schalen und holzige Stücke sorgfältig entfernen, die Köpfe
aber nicht verletzen, Spargelenden und -schalen beiseite
stellen, den Spargel in etwa 3 cm lange Stücke schneiden
500 ml (½ l) Wasser mit Salz
1 gestr. Teel. Zucker und 1 Eßlöffel von
3 Eßl. Butter zum Kochen bringen, Spargelenden und -schalen
hinzufügen, zum Kochen bringen, etwa 20 Minuten
kochen lassen
die Spargelflüssigkeit durch ein Sieb gießen, mit
250 ml (¼ l) Milch auffüllen, die Spargelstücke hineingeben, zum Kochen
bringen, in etwa 25 Minuten gar kochen
die Spargelstücke in ein Sieb geben, die Flüssigkeit
auffangen
500 ml (½ l) Spargelflüssigkeit abmessen
die restliche Butter zerlassen
1 Eßl. Weizenmehl unter Rühren so lange darin erhitzen, bis es hellgelb ist
die Spargelflüssigkeit hinzugießen
mit einem Schneebesen durchschlagen, darauf achten,
daß keine Klümpchen entstehen
die Suppe zum Kochen bringen, 5 Minuten kochen lassen,
mit Salz abschmecken
1 Eigelb und
2 Eßl. Schlagsahne verschlagen, die Suppe damit legieren (nicht mehr kochen
lassen!)
von der Fischmasse mit einem in kaltes Wasser getauchten
Teelöffel kleine Klößchen abstechen, mit einem zweiten
Teelöffel eine hübsche Form geben
die Klößchen in kochendes Salzwasser geben, 4 Minuten
nur ziehen, nicht mehr kochen lassen
die Klößchen auf Suppentassen verteilen,
die heiße Spargelsuppe darübergeben
die Suppe mit
Kerbelblättchen garnieren.

Spargelsalat

(Foto Seite 97)

500 g grünen und weißen Spargel	schälen (bei grünem Spargel nur das untere Drittel), den Spargel waschen, in Stücke schneiden, in
kochendes Salzwasser	geben, 12 Minuten kochen, abtropfen lassen.

Für die Sauce

1 Schalotte	abziehen, fein würfeln, mit
5 Eßl. Sonnenblumenöl	
2 Eßl. Weinessig	
1 Eßl. Zitronensaft	verrühren, mit
Salz	
frisch gemahlenem Pfeffer	
Zucker	würzen, mit dem Spargel vermengen, zugedeckt einige Stunden durchziehen lassen
2 Eier	hart kochen, abschrecken, pellen, fein hacken
1 Bund Petersilie	abspülen, trockentupfen, fein hacken beide Zutaten über den Spargel geben
½ Kopfsalat	verlesen, waschen, abtropfen lassen, in mundgerechte Stücke schneiden, den Salat auf Tellern verteilen, den Spargel darauf anrichten.

Spargelsalat mit Kräuter-Ei-Sauce

(Foto Seite 98)

500 g weißen Spargel	schälen, in 4 cm lange Stücke schneiden
500 g grünen Spargel	waschen, die unteren Enden abschneiden oder schälen beides in 4 cm lange Stücke schneiden
1 l Wasser	mit
Salz	
Zucker	
20 g Butter	zum Kochen bringen, die weißen Spargelstücke hineingeben, 5 Minuten kochen lassen, dann den grünen Spargel dazugeben, weitere 5 Minuten garen, zum Abtropfen auf ein Sieb geben.

69

Für die Salatsauce

2 Eßl. Kräuteressig	mit
½ Teel. Senf	
Salz	
frisch gemahlenem Pfeffer	
Zucker	
4 Eßl. Salatöl	verrühren, den noch warmen Spargel hineingeben, unterrühren, etwa 30 Minuten durchziehen lassen
3 Eßl. gehackte, gemischte Kräuter, z. B. Kerbel, Schnittlauch	unterrühren
1 hartgekochtes Ei	pellen, das Eigelb heraustrennen, Eigelb und Eiweiß getrennt hacken, über den Salat streuen.

Spargel-Tofu-Salat

400 g grünen Spargel	nur am unteren Teil der Stangen schälen die unteren Enden gerade und alle Stangen möglichst gleich lang schneiden, holzige Stellen vollkommen wegschneiden, den Spargel waschen, Spargel schräg in 5 cm lange Stücke schneiden
Wasser	mit
1 Eßl. Sojasauce	zum Kochen bringen, den Spargel 5 Minuten darin garen, die Spitzen nur 3 Minuten.

Für das Dressing

4 Eßl. Sojasauce	
4 Eßl. Zitronensaft	
3 Teel. Zucker	
abgeriebene Schale von ½ Zitrone (unbehandelt)	
5 Eßl. Sesamöl	miteinander verrühren.
250 g Tofu	in Würfel schneiden, mit den Spargelstücken und dem Dressing vorsichtig mischen
2 Frühlingszwiebeln	putzen, waschen, abtropfen lassen, in Ringe schneiden
30 g Sauerampfer oder Kresse	waschen, trockentupfen, Sauerampfer in Streifen schneiden, unterheben
1 Stück Ingwer (etwa 3 cm)	schälen, fein reiben, über das Dressing geben, mit den Spargelköpfen anrichten.

Spargelsalat mit Kräutersauce

500 g gekochten grünen Spargel	auf einer Platte anrichten.
	Für die Kräutersauce
2 kleine Zwiebeln	abziehen, fein würfeln, mit
6 Eßl. Salatöl	
3 Eßl. Essig	verrühren, mit
Salz	
frisch gemahlenem Pfeffer	
Zucker	würzen
3 – 4 Eßl. gemischte, gehackte Kräuter	unterrühren
	einen Teil der Sauce über den Spargel geben, die restliche Sauce dazu reichen
1 hartgekochtes Ei	pellen, halbieren, das Eigelb durch ein Sieb streichen
geschnittenen Schnittlauch	
gehackte Eiweißwürfel	über den Salat streuen, mit
Feldsalat	garnieren.

Spargel-Melonen-Cocktail

500 g Spargel	von oben nach unten schälen, dabei darauf achten, daß die Schalen vollständig entfernt, die Köpfe aber nicht verletzt werden
	den Spargel in Stücke schneiden, holzige Stellen vollkommen wegschneiden, den Spargel waschen
250 ml (¼ l) Wasser	mit
1 Teel. Salz	
Zucker	
1 Eßl. Butter	von oben nach unten schälen, dabei darauf achten, daß die Schalen vollständig entfernt, die Köpfe aber nicht verletzt werden
	den Spargel in Stücke schneiden, holzige Stellen vollkommen wegschneiden, den Spargel waschen
½ Kopf Eisbergsalat	putzen, waschen und in Streifen schneiden
100 g Katenrauchschinken	in Streifen schneiden
2 Honigmelonen (à etwa 500 g)	halbieren, Kerne herausschaben und das Fruchtfleisch mit einem Kugelausstecher herauslösen
	Salatzutaten vermengen und in den Melonenhälften anrichten.

	Für die Sauce
3 Eßl. Mayonnaise	
1 Becher (150 g)	
Magermilch-Joghurt	
2 Teel. Zitronensaft	verrühren und mit
Salz	
frisch gemahlenem	
weißem Pfeffer	abschmecken, Melonenhälften auf Tellern anrichten und die Sauce darübergeben mit
halbierten Feigen	garnieren.

Spargel-Garnelen-Cocktail
(Foto Seite 99)

750 g Spargel	von oben nach unten schälen, dabei darauf achten, daß die Schalen vollständig entfernt, die Köpfe aber nicht verletzt werden den Spargel in Stücke schneiden, holzige Stellen vollkommen wegschneiden, den Spargel waschen
250 ml (¼ l) Wasser	mit
1 Teel. Salz	
Zucker	
1 Eßl. Butter	zum Kochen bringen, den Spargel hineingeben, zum Kochen bringen den Spargel in etwa 20 Minuten gar kochen lassen den garen Spargel mit einem Schaumlöffel vorsichtig aus dem Kochwasser herausnehmen, Spargelstücke abtropfen lassen
250 g Garnelen	
in Salzlake	kurz unter fließendem kaltem Wasser abspülen, abtropfen lassen und mit den Spargelstücken vermengen.
	Für die Sauce
5 Eßl. Mayonnaise	mit
2 Eßl. Schlagsahne	und
1 Eßl. Sherry medium	verrühren, mit
Zitronensaft	abschmecken und mit den Salatzutaten vermengen den Spargelsalat auf
gewaschenen	
Salatblättern	anrichten.
Tip	Zur Abwandlung 1 Orange schälen, filetieren, die Filets in kleine Stücke schneiden und unter den Salat geben. Den Spargelsalat in vier ausgehöhlten Orangen anrichten, zusammen mit Toast und Butter als Vorspeise reichen.

Spargel-Cocktail „Hawaii"

Etwa 250 g tiefgekühlte Shrimps	auftauen lassen
500 g gekochten Spargel	in etwa 3 cm lange Stücke schneiden
2 Orangen	halbieren, aushöhlen, die Schalen aufbewahren, das Orangenfleisch in kleine Stücke schneiden.

Für die Cocktailsauce

5 Eßl. Mayonnaise	mit
2 Eßl. Schlagsahne	
1 Eßl. Sherry	verrühren, mit
Salz	
frisch gemahlenem Pfeffer	
Zucker	
Zitronensaft	würzen, mit den Cocktailzutaten vermengen, den Cocktail in den vier ausgehöhlten Orangenhälften anrichten.
Beigabe	Toast, Butter.

Spargel-Ananas-Salat

5 hartgekochte Eier	pellen, in Scheiben schneiden
125 g gekochten Schinken	in Streifen schneiden
150 g Ananasscheiben (aus der Dose)	abtropfen lassen
175 g gekochte Spargelstücke	abtropfen lassen beide Zutaten in Stücke schneiden.

Für die Mayonnaise

1 Eigelb	mit
1 Eßl. Essig	
Salz	
frisch gemahlenem Pfeffer	
Zucker	in einer Rührschüssel mit einem Schneebesen oder mit einem Handrührgerät mit Rührbesen zu einer dicklichen Masse schlagen, darunter
125 ml (⅛ l) Speiseöl	schlagen (bei dieser Zubereitung ist es nicht notwendig, das Öl tropfenweise zuzusetzen, es wird in Mengen von 1 – 2 Eßlöffeln untergeschlagen, die an das Eigelb gegebenen Gewürze verhindern eine Gerinnung), die Salatzutaten mit der Mayonnaise vermengen, den Salat gut durchziehen lassen.

Spargel-Vinaigrette

1 kg grünen Spargel	waschen, am unteren Ende schälen, in 4 Portionen bündeln, in
Salzwasser	mit
½ Teel. Zucker	
1 Teel. Butter	etwa 10 Minuten zugedeckt garen, abtropfen lassen.

Für die Sauce

½ Teel. Honig	mit
1 Eßl. heißem Spargelwasser	verrühren
2 Eßl. Sherryessig	
Salz	
frisch gemahlenem Pfeffer	
½ Teel. Dijon-Senf	unterrühren, zum Schluß
4 Eßl. Nußöl	
5 Basilikumblätter (in Streifen geschnitten)	unterrühren, die Sauce über den lauwarmen Spargel träufeln
50 g Bündner Fleisch	in sehr feine Streifen schneiden, kurz vor dem Servieren über den Spargel streuen.

Salat von grünem und weißem Spargel mit gebeiztem Lachs

(Foto Seite 100)

Für den Lachs

2 Seiten Lachs à 1 kg mit Haut	sauber parieren und entgräten, eine Seite mit der Haut nach unten auf die Arbeitsplatte legen
120 g Salz	
40 g Zucker	
4 g zerstoßene weiße Pfefferkörner	
4 g Korianderkörner	
2 Eßl. Olivenöl	
Saft von ½ Zitrone	
200 g geschnittenen Dill	darauf verteilen, die andere Lachsseite mit der Fleischseite darauflegen, den Lachs in Folie einschlagen, leicht beschweren und kalt stellen, den Lachs 2 Tage beizen, zweimal täglich wenden, nach 2 Tagen die Lachsseiten aus der Beize nehmen, vorsichtig abspülen, mit Küchenkrepp trockentupfen, den Lachs leicht einölen und in Folie einpacken, so verpackt ist er einige Tage im Kühlschrank haltbar.

Für den Spargelsalat

8 Stangen weißen Spargel	
8 Stangen grünen Spargel	schälen, mit wenig
Salz und Pfeffer aus der Mühle	
1 Prise Zucker	knapp gar kochen
100 ml Sahne	
Saft von ½ Zitrone,	Salz, Pfeffer, Zucker,
1 Eßl. Traubenkernöl	
1 Eßl. Spargelfond	zu einem Dressing verrühren den Spargel einmal längs und einmal quer halbieren, noch lauwarm mit dem Dressing anmachen die Spargelspitzen sternförmig, abwechselnd grün und weiß, mit den Spitzen nach außen auf den Teller legen die Enden in kleine Stücke schneiden, in der Mitte des Tellers anrichten 3 dünne Scheiben gebeizten Lachs zu Rosen zusammenrollen, in die Mitte auf den Spargelsalat setzen.

Zum Garnieren

etwas geschlagene Sahne	als Augen vor die Lachsröllchen setzen
Forellenkaviar	daraufgeben
Schnittlauchhalme	als Fühler in die Sahne stecken
einige Blätter glatte Petersilie	auf die entgegensetzte Seite legen.

Radicchio-Spargel-Salat

500 g Spargel	von oben nach unten schälen, darauf achten, daß die Schalen und holzigen Stücke völlig entfernt, die Köpfe aber nicht verletzt werden den Spargel gründlich waschen, in
etwa 500 ml (½ l) kochendes Salzwasser	geben, zum Kochen bringen, etwa 5 Minuten kochen lassen, das Wasser abgießen, den Spargel unter fließendem kaltem Wasser abschrecken, abtropfen lassen, von
etwa 300 g Radicchio	die Wurzelenden abschneiden, die welken Blätter entfernen, die anderen auseinanderpflücken (größere Blätter teilen), gründlich waschen, gut abtropfen lassen
1 rote Zwiebel	abziehen, halbieren, in dünne Scheiben schneiden
100 g Champignons	putzen, waschen, in Scheiben schneiden.

Für die Salatsauce

3 Eßl. Olivenöl	mit
3 Eßl. Zitronensaft	
Salz	
frisch gemahlenem	
Pfeffer	verrühren
	die Salatzutaten auf einer Platte anrichten, die Salatsauce darübergeben, den Salat mit
Dillspitzen	garnieren.
Beigabe	Toast, Butter.

Nudelsalat mit grünem Spargel und Shrimps

(Foto Seite 117)

300 g Muschelnudeln	
(Conchiglie)	in reichlich kochendem Salzwasser nach Packungsaufschrift bißfest garen, abgießen, kalt abschrecken, abtropfen lassen
250 g grünen Spargel	im unteren Drittel schälen, den Spargel waschen, in etwa 4 cm lange Stücke schneiden, in Salzwasser etwa 5 Minuten garen, die Flüssigkeit auffangen, den Spargel kalt abschrecken, abtropfen lassen
175 g tiefgefrorene	
Shrimps	auftauen lassen, die Shrimps zum Spargel geben.

Für die Sauce

5 Eßl. Distelöl	erhitzen
2 Zwiebeln	abziehen, fein würfeln, in dem Öl andünsten, mit etwas Spargelfond ablöschen, mit
Salz	
frisch gemahlenem	
Pfeffer	
Zucker	
2 Eßl. Zitronensaft	die Sauce abschmecken
	Nudeln, Spargel und Shrimps mit der Sauce vermischen, auf Tellern anrichten
12 Cocktailtomaten	abspülen, trockentupfen, halbieren
1 Bund Schnittlauch	abspülen, trockentupfen, fein schneiden
	den Salat mit den halbierten Cocktailtomaten und dem Schnittlauch garnieren.

Spargelsoufflé mit Orangen, Rezept Seite 55

Crêperollen mit grünem Spargel, Rezept Seite 61

Spargelsuppe mit Krebsschwänzen, Rezept Seite 64

Spargel-Kerbel-Suppe, Rezept Seite 66

Krabben-Spargel-Salat

Etwa 250 g Krabben-fleisch (frisch oder aus der Dose)	mit
Zitronensaft	beträufeln
etwa 300 g gekochten Spargel	abtropfen lassen, in etwa 3 cm lange Stücke schneiden.

Für die Salatsauce

2 – 4 Eßl. Tomaten-Ketchup	mit
2 Msp. Paprika edelsüß gehackter Petersilie gehacktem Dill Salz	verrühren, mit
Worcestersauce	abschmecken, mit den Salatzutaten vermengen
1 – 2 Eßl. Weinbrand	unterrühren
3 Salatherzen	waschen, in Streifen schneiden, unter den Salat heben.

Hummersalat mit grünem Spargel

3 ½ l Wasser	zum Kochen bringen und mit
Salz	würzen
1 Zwiebel	abziehen, vierteln, ins Wasser geben
1 Möhre 1 kleine Stange (Lauch) 1 Petersilienwurzel	putzen, abspülen und grob zerkleinern in das Wasser geben
250 ml (¼ l) trockenen Weißwein	hinzugießen
2 Hummer à 750 g	in den kochenden Sud geben und etwa 12 Minuten sanft garen, die Hummer herausnehmen und etwas abkühlen lassen, das Fleisch des Schwanzes und der Scheren heraus- lösen, das Schwanzfleisch in Scheiben schneiden
100 g Crème fraîche	mit
2 Eßl. Schlagsahne	und
2 Eßl. feingeschnittenen Dillspitzen	verrühren und mit
frisch gemahlenem weißem Pfeffer	würzen
500 g grünen Spargel	abspülen und die harten Enden abschneiden Spargel in leicht gesalzenem Wasser etwa 4 Minuten bißfest kochen, abgießen und mit etwas flüssiger
Butter	überziehen, den vorbereiteten Hummer und die Sauce behutsam erwärmen und mit dem grünen Spargel dekorativ auf vorgewärmten Tellern anrichten.
Tip	Dazu Baguette servieren.

Geflügel-Spargel-Salat

(2 Portionen)

200 g gekochtes, enthäutetes Hühnerfleisch	in feine Streifen schneiden
100 g gekochten Spargel	in 2 – 3 cm lange Stücke schneiden (einige Spargelspitzen zum Garnieren zurücklassen), die Zutaten vorsichtig vermengen, mit
Salz	
Zucker	
Zitronensaft	würzen.
	Für die Salatsauce
3 Eßl. Mayonnaise	mit
1 Eßl. Joghurt	verrühren, mit Salz
frisch gemahlenem Pfeffer	
Zucker	würzen
½ gedünsteten Pfirisch	in kleine Stücke schneiden, unterrühren, eine Salatschüssel oder zwei Portionsschälchen mit
gewaschenen Salatblättern	auslegen, die Salatzutaten darauf anrichten, mit der Sauce übergießen, den Salat mit den zurückgelassenen Spargelspitzen
Maraschinokirschen	garnieren, mit
Weinbrand	beträufeln, sofort servieren.

Bunter Spargelsalat

1,2 kg weißen Stangenspargel	von oben nach unten schälen, holzige Enden abschneiden
1,7 l Salzwasser	zum Kochen bringen, Spargel darin in etwa 20 Minuten gar kochen, aus dem Sud nehmen, abtropfen lassen, in 5 cm lange Stücke schneiden
1 Bund Radieschen	putzen, waschen, in Scheiben schneiden
200 g Cocktailtomaten	waschen, die Stengelansätze herausschneiden, die Tomaten in Scheiben schneiden
200 g kleine Pellkartoffeln	kochen, abpellen, abkühlen lassen, in Scheiben schneiden
1 Bund Frühlingszwiebeln	waschen, abtropfen lassen, in feine Scheiben schneiden alle Zutaten vorsichtig miteinander vermischen.

Für die Salatsauce

8 Eßl. Knoblauchöl	mit
6 Eßl. Kräuteressig	
½ Teel. süßem Senf	
Salz	
frisch gemahlenem	
Pfeffer	verrühren, über den Salat geben, den Salat einige Zeit durchziehen lassen, hin und wieder in der Sauce vorsichtig wenden.
Tip	Als Alternative kann man pro Person noch ein gekochtes, in Sechstel geschnittenes Ei hinzufügen. Als Beilage reicht man ofenwarmes Brot und Butterröllchen.

Spargelstücke, eingekocht

3 – 4 kg Spargelstücke (für 4 Gläser von je 1 l Inhalt)	waschen, schälen, darauf achten, daß die Schalen vollständig entfernt, die Köpfe aber nicht verletzt werden den Spargel in 3 – 4 cm lange Stücke schneiden (holzige Teile vollkommen entfernen), die Spargelstücke in eine Schüssel geben, mit kochendem Wasser übergießen, 10 Minuten darin ziehen lassen, abgießen, den Spargel in die vorbereiteten Einkochgläser füllen, mit heißem Wasser übergießen
Einkochzeit	45 Minuten bei 98 °C.

Marinierter Spargel

(Foto Seite 118)

1 kg Spargel	waschen, von oben nach unten schälen, holzige Stellen entfernen
375 ml (⅜ l) Salzwasser	zum Kochen bringen, die Spargelstangen hineingeben, zum Kochen bringen, 12 – 14 Minuten kochen lassen, auf ein Sieb geben, die Kochflüssigkeit auffangen, die Flüssigkeit mit
100 ml Weißwein-Essig	
3 Eßl. Zucker	
1 Teel. schwarzen Pfefferkörnern	zum Kochen bringen, evtl. nochmals mit Salz, Pfeffer, Zucker abschmecken
2 Eßl. Olivenöl	

2 Teel. gehackten Estragonblättern 2 Teel. feingehacktem Dill 2 Teel. feingehackten Kerbelblättchen	unterrühren, Spargelstangen hineingeben und 1 – 2 Stunden ziehen lassen.

Frühlings-Cocktail „Favoritin"

(Foto Seite 137)

12 Stangen gekochten Spargel	in etwa 3 cm lange Stücke schneiden
100 g gekochtes Hummerfleisch	in kleine Stücke zerpflücken, beide Zutaten mit
Salz	
Pfeffer	
Zitronensaft	würzen
16 Erdbeeren	waschen, abtropfen lassen, entstielen, halbieren, mit
Zucker	bestreuen, mit Zitronensaft beträufeln
100 g Lachsschinken	in feine Streifen schneiden.
	Für die Cocktailsauce
2 Eßl. Salatmayonnaise	mit
2 Eßl. Tomaten-Ketchup	
2 Eßl. Weinbrand	
½ Eßl. Zitronensaft	verrühren, mit Salz und Pfeffer würzen, vier Cocktailgläser mit
gewaschenen Salatblättern	auslegen, die Cocktailzutaten darauf anrichten, mit der Sauce übergießen, den Cocktail mit
Kerbelblättechen	garnieren.

Spargelsülze mit Eiervinaigrette

1 große Dose (425 g) Spargelabschnitte	in ein Sieb gießen und gut abtropfen lassen
1 kleine Dose (400 ml) klare Ochsenschwanz- suppe	mit
250 ml (¼ l) Gemüsebrühe	in einen Topf geben und erhitzen
10 Blatt weiße Gelatine	wässern, in die Brühe geben und auflösen lassen
4 Eßl. Sherry	und
2 Eßl. Sherry-Essig	dazugeben, mit

Salz	
frisch gemahlenem Pfeffer	
1 Prise Zucker	kräftig abschmecken
1 Handvoll Kerbel-blättchen	abspülen, trockentupfen
1 Bund Schnittlauch	fein schneiden, mit den Spargelabschnitten vermischen und auf vier dekorative Schälchen gleichmäßig verteilen die Brühe angießen und im Kühlschrank vollständig erstarren lassen.

Für die Sauce

1 hartgekochtes Ei	pellen
1 kleine Zwiebel	abziehen, beides sehr fein hacken
4 Eßl. Sherryessig	
5 Eßl. Olivenöl	dazugeben mit Salz und Pfeffer kräftig würzen die Spargelsülzchen aus der Form stürzen, dekorativ anrichten, mit der Eiervinaigrette überziehen und servieren.

Spargelsülze mit Kräutern

(Foto Seite 119)

Etwa 500 g Spargel (Glas)	abtropfen lassen, in Stücke schneiden
1 Bund Kerbel	abspülen, trockentupfen, die Blättchen von den Stielen zupfen
1 Bund Schnittlauch	abspülen, trockentupfen, fein schneiden
12 Blatt weiße Gelatine	in
kaltem Wasser	etwa 10 Minuten einweichen, gut ausdrücken
etwa 400 ml klare Ochsenschwanzsuppe (aus der Dose)	durch ein Sieb in einen Topf gießen
250 ml (¼ l) Wasser	hinzugießen, zum Kochen bringen, mit
Salz	
frisch gemahlenem Pfeffer	
1 Eßl. Sherry-Essig	würzen
6 Eßl. Sherry	unterrühren, die ausgedrückte Gelatine darin auflösen, den Boden einer länglichen Porzellan- oder Kastenform (Inhalt 1 l) mit etwas von der Brühe bedecken, im Kühlschrank erstarren lassen, darauf eine Schicht Spargel-stücke und Kräuter verteilen, mit so viel Brühe aufgießen, daß der Spargel bedeckt ist, wieder erstarren lassen, so fortfahren, bis alle Zutaten aufgebraucht sind, die Form über Nacht in den Kühlschrank stellen, zum Stürzen die Form kurz in heißes Wasser setzen, die Sülze mit einem scharfen Messer vom Formenrand lösen, auf eine Platte stürzen.

Spargelmousse mit Kaviar

(Etwa 2 Portionen)

500 g grünen Spargel	von oben nach unten schälen, die unteren Enden gerade und alle Stangen möglichst gleich lang schneiden, den Spargel waschen, die Spargelspitzen abschneiden, beiseite legen, den restlichen Spargel in
500 ml (½ l) Wasser **1 Teel. Butter** **1 Teel. Salz** **Zucker**	legen hinzufügen, zum Kochen bringen, 20 – 30 Minuten kochen, abtropfen lassen, das Spargelwasser auffangen den Spargel mit einem elektrischen Handrührgerät pürieren
1 Pck. Gelatine gemahlen, weiß **4 Eßl. kaltem Wasser**	mit anrühren, 10 Minuten zum Quellen stehen lassen, unter Rühren erwärmen, bis sie gelöst ist die lauwarme Gelatinelösung unter das noch heiße Spargelpüree rühren, etwas abkühlen lassen
1 Eßl. Crème fraîche **1 steif geschlagenes Eiweiß** **Salz** **Butter oder Margarine**	 unterrühren, kräftig durchschlagen, mit abschmecken, zwei kleine Formen mit ausfetten, die Spargelmasse hineinfüllen, glattstreichen, im Kühlschrank fest werden lassen die Spargelspitzen in das kochende Spargelwasser geben, zum Kochen bringen, etwa 15 Minuten kochen, abtropfen lassen das Spargelmousse auf Teller stürzen, in die Mitte jeder Portion jeweils einen von
2 Eßl. Kaviar (Glas) **frischem Tomaten-püree oder Tomaten-Ketchup**	geben, mit garnieren, die Spargelmousse mit den Spargelspitzen umlegen
125 ml (⅛ l) Schlagsahne **1 Teel. Fleischextrakt (Glas)**	etwas anschlagen, mit verrühren, zu der Spargelmousse reichen.

Putenmousse mit grünen Spargelspitzen

320 g mild geräucherte Putenbrust	würfeln, in einer Küchenmaschine fein pürieren
80 g Butter	
80 g Kalbsleberwurst	hinzufügen, mit
2 cl Calvados	
frisch geschrotetem Pfeffer	würzen, zu einer geschmeidigen, glatten Masse verarbeiten, die Mousse in eine Schüssel geben, glattstreichen und im Kühlschrank fest werden lassen
20 grüne Spargelspitzen	in kochendem Wasser etwa 2 Minuten blanchieren.

Für das Dressing

3 Eßl. Himbeeressig	mit
Salz	
frisch gemahlenem Pfeffer	verrühren
6 Eßl. Nußöl	unterschlagen
einige Kerbelblättchen	in das Dressing geben, die Spargelspitzen darin marinieren, aus der gut gekühlten Mousse pro Person mit einem Eßlöffel zwei Nocken abstechen, auf einem großen Teller mit jeweils fünf Spargelspitzen anrichten, mit Kerbelblättchen garnieren.

Pikante Spargel-Schnitten

4 Scheiben Toastbrot	toasten, mit
Butter	bestreichen, mit
4 Scheiben Roastbeef (als Aufschnitt)	belegen
etwa 375 g gekochte Spargelspitzen	darauf anrichten
4 Eßl. Salatmayonnaise	mit
2 – 3 Eßl. Schlagsahne	verrühren, über den Spargel verteilen die Schnitten mit
Mandarinenspalten Petersilie	garnieren.

Carpaccio mit rohem Spargel

250 g Rinderfilet	etwa 45 Minuten ins Gefrierfach legen
500 g Spargel	schälen, waschen, die Enden abschneiden, schräg in dünne Scheiben schneiden
6 Eßl. Speiseöl	mit
3 Eßl. Zitronensaft	
Salz	
frisch gemahlenem Pfeffer	
1 Prise Zucker	verrühren, den Spargel darin etwa 30 Minuten durchziehen lassen, das Fleisch mit der Maschine in sehr feine Scheiben schneiden und auf einer Platte anrichten, den Spargel abtropfen lassen, auf das Fleisch geben und etwas Sauce darübergießen.

Spargel in Kräutermarinade

1 kg Spargel	waschen, von oben nach unten schälen, holzige Stellen entfernen
500 ml (½ l) Salzwasser	zum Kochen bringen, die Spargelschalen hineingeben, zum Kochen bringen und etwa 15 Minuten kochen lassen Spargelschalen auf ein Sieb geben und die Kochflüssigkeit auffangen, die Spargelschalen entfernen die Flüssigkeit mit
250 ml (¼ l) Weißweinessig	
3 – 4 Teel. Zucker	
1 Teel. schwarzen Pfefferkörnern	zum Kochen bringen, die Spargelstangen hineingeben, zum Kochen bringen und etwa 20 Minuten kochen lassen die Spargelstangen mit
2 Teel. gehackten Estragonblättern	
2 Teel. feinge- hacktem Dill	
2 Teel. feingehackten Kerbelblättchen	in eine flache Form geben, die Flüssigkeit nochmals abschmecken, wieder zum Kochen bringen und sofort über den Spargel gießen, die Form mit Frischhaltefolie abdecken, mindestens 1 Tag im Kühlschrank durchziehen lassen.
Tip	Als Beilage zu kaltem Braten oder kurzgebratenen Fleischstücken oder zusammen mit anderen marinierten Gemüsen als Antipasti servieren.

Spargel in Gelee mit feiner Kräutersauce

1 kg Spargel	von oben nach unten schälen, die unteren Enden abschneiden (holzige Stellen vollkommen wegschneiden), Spargel abspülen, in
375 ml (⅜ l) Salzwasser	geben
1 Teel. Zucker	
20 g Butter	hinzugeben, den Spargel etwa 15 Minuten kochen, mit der Schaumkelle herausnehmen
40 g Porree (Lauch)	
40 g Möhren	
40 g Knollensellerie	putzen, schälen, waschen und würfeln
	das Gemüse kurz blanchieren
12 Blatt Gelatine	etwa 10 Minuten in kaltem Wasser einweichen, ausdrücken, in
1 l Kalbsfond	auflösen
	etwas Fond in eine Terrinenform geben, schichtweise Spargel und Gemüse einlegen
	den restlichen Fond hinzugießen, bedeckt etwa 5 Stunden kühl stellen.

Für die Sauce

3 Eßl. Mayonnaise	
1 Becher (150 g) Crème fraîche	
150 g Joghurt	
100 ml Schlagsahne	
½ Teel. Senf	
½ Teel. Zitronensaft	
Salz	
frisch gemahlenen Pfeffer	
1 Prise Zucker	verrühren
3 Eßl. gemischte, gehackte Kräuter, z. B. Kerbel, Petersilie	unterziehen
	die Form kurz in kaltes Wasser stellen, stürzen, in Scheiben schneiden und mit der Sauce anrichten.

Tofu-Terrine mit Spargel

250 g grünen Spargel	
250 g weißen Spargel	schälen, die Stangen in 5 cm lange Stücke schneiden zusammen mit
125 ml (⅛ l) Wasser	und
2 Eßl. Sojasauce	zum Kochen bringen, den grünen Spargel nach 6 Minuten herausnehmen, den weißen nach 10 Minuten, abkühlen lassen
6 Blatt weiße Gelatine	einweichen
1 Bund Schnittlauch	in feine Röllchen schneiden
	von
1 unbehandelten Zitrone	die Schale abreiben, den Saft auspressen
250 g Tofu	abtropfen lassen, mit
2 Eigelben	mit dem Mixstab pürieren
200 g Schlagsahne	steif schlagen und unter den Tofu ziehen Gelatine tropfnaß in ein Töpfchen geben, auflösen und in die Tofumischung einrühren Schnittlauch, Zitronenschale und in Scheiben geschnittene Spargelstiele darunterheben die Masse mit
Salz	
grünen Pfefferkörnern	
½ Teel. geschrotetem Koriander	und Zitronensaft abschmecken kühl stellen, sobald die Mischung fest zu werden beginnt,
2 Eiweiße	mit etwas Salz zu Schnee schlagen und untermischen eine Kastenform von 25 cm Länge kalt ausspülen Tofumasse und Spargelstücke abwechselnd einfüllen, dabei sollten die untere und die oberste Schicht Tofumasse sein, mit Folie überzogen 4 – 6 Stunden in den Kühlschrank stellen, vor dem Servieren stürzen und in Scheiben schneiden.
Beigabe	Frisch geröstete Scheiben Stangenweißbrot.

Spargelschnittchen

12 Pumpernickeltaler	mit etwas von
40 g Butter	bestreichen, mit jeweils 2 Gurkenscheiben und 1 Scheibe Bündner Fleisch von
24 Gurkenscheiben	
12 Scheiben Bündner Fleisch	und mit
400 g gekochten, erkalteten, weißen und grünen Spargelköpfen	belegen, alles mit Holzspießchen zusammenstecken, jeweils etwas von
100 g Kräuter-Crème-fraîche	darauf verteilen.

Spargelterrine mit Lachs und Tofu

Je 250 g weißen und grünen Spargel von oben nach unten schälen, dabei darauf achten, daß die Schalen vollständig entfernt, die Köpfe aber nicht verletzt werden
die Köpfe in 5 cm Länge abschneiden, die Stangen in 1 cm dicke Scheiben schneiden, holzige Stellen vollkommen wegschneiden, den Spargel waschen

125 ml (⅛ l) Wasser mit
2 Eßl. Sojasauce und
1 Eßl. Butter zum Kochen bringen, den weißen Spargel hineingeben, zum Kochen bringen, Spargel in etwa 10 Minuten gar kochen lassen, den garen Spargel mit einem Schaumlöffel vorsichtig aus dem Kochwasser herausnehmen
dann den grünen Spargel in etwa 6 Minuten garen
abtropfen und abkühlen lassen, die Spargelköpfe separat legen

6 Blatt weiße Gelatine in kaltem Wasser einweichen
1 Bund Schnittlauch abspülen, trockentupfen und in feine Röllchen schneiden von

1 Zitrone (unbehandelt) die Schale abreiben und anschließend den Saft auspressen
250 g Tofu abtropfen lassen, den Tofu zusammen mit
2 Eigelben mit dem Schnellmixstab pürieren
200 ml Schlagsahne steif schlagen und unter die Tofu-Eigelb-Masse ziehen
Gelatine leicht ausdrücken, mit wenig Wasser im Wasserbad auflösen, in die Tofumischung einrühren
Schnittlauch, Zitronenschale und die kleinen Spargelstücke unterheben
die Masse mit

Salz
grünem Pfeffer
½ Teel. geschrotetem Koriander und Zitronensaft abschmecken, dann kalt stellen, sobald die Masse fest zu werden beginnt,

2 Eiweiße mit etwas Salz zu Schnee schlagen und unterziehen
125 g dünne Scheiben Räucherlachs in feine Streifen schneiden, eine Kastenform kalt ausspülen
knapp die Hälfte der Tofumasse hineinfüllen, die Hälfte der Lachsstreifen hineingeben, Spargelköpfe daraufgeben, die Lücken mit Tofumasse füllen
die restlichen Lachsstreifen daraufgeben und mit der Tofumasse die Form füllen
die Form mit Frischhaltefolie abgedeckt für 4 – 6 Stunden in den Kühlschrank stellen, vor dem Servieren die Form vorsichtig in heißes Wasser tauchen, auf eine Platte stürzen und in Scheiben schneiden.

Tip Dazu passen frisch geröstete Scheiben von Stangenweißbrot.

Spargeltoast mit Schinkencreme

(Foto Seite 120)

Etwa 450 g Spargel (Glas)	gut abtropfen lassen, halbieren
250 g gekochte Schinkenscheiben (ohne Fettrand)	in feine Streifen schneiden, mit
2 Eßl. Crème fraîche	verrühren, mit
Salz	
frisch gemahlenem Pfeffer	
etwas geriebener Zitronenschale (unbehandelt)	würzen
2 Bund feinge- schnittenen Schnittlauch	unter die Schinkenmasse rühren (etwas Schnittlauch beiseite stellen)
8 Scheiben Toastbrot	toasten, mit
Butter	bestreichen, den Spargel darauf verteilen, mit der Schinkencreme bestreichen, die Toastbrotscheiben gleichmäßig mit
80 g geriebenem Emmentaler	bestreuen, im Backofen goldbraun überbacken
Ober-/Unterhitze	200 – 220 °C (vorgeheizt)
Heißluft	180 – 200 °C (nicht vorgeheizt)
Gas	Stufe 5 – 6 (vorgeheizt)
Überbackzeit	etwa 8 Minuten die Toastscheiben mit dem restlichen Schnittlauch bestreuen, sofort servieren.

Feine Gemüse

Frische Erbsensuppe

250 g ausgepalte Erbsen (³/₄ kg mit Hülsen)	waschen
40 g Margarine	zerlassen, die Erbsen darin andünsten, nach Belieben mit
40 g Weizenmehl	bestreuen, kurz miterhitzen
1 l Wasser	
Salz	unter Rühren hinzufügen, zum Kochen bringen, gar kochen lassen, die Suppe mit Salz abschmecken, mit
gehackter Petersilie	bestreuen
Kochzeit	25 – 30 Minuten.
Einlage	Schwemm- oder Fleischklößchen in die Suppe geben.

Erbsensuppe mit Knoblauch-Crostini

1 Bund Frühlings- zwiebeln	putzen, waschen, in Ringe schneiden, diese mit
500 ml (½ l) Gemüsebrühe	auffüllen, aufkochen lassen
500 g tiefgekühlte Erbsen	in die Gemüsebrühe geben und nochmals aufkochen, bei kleiner Hitze etwa 8 Minuten garen, mit dem Schneidestab pürieren, mit
1 Becher (150 g) Crème fraîche	
Salz	
frisch gemahlenem Pfeffer	abschmecken
einigen gezupften Oregano-Blättchen	garniert servieren.

Für die Crostini

4 Eßl. Olivenöl oder Butter	in einer Pfanne zerlassen
8 Scheiben Baguette	darin goldbraun rösten, nach Belieben
4 – 8 Knoblauchzehen	abziehen, fein schneiden, mit in die Pfanne geben.
Tip	Zusätzlich oder anstatt der Knoblauch-Crostini passen als Suppeneinlage auch einige gekochte Garnelen.

Bouillonerbsen mit Gurken

1 kg frische, grüne Erbsen	auspalen, abspülen
125 ml (⅛ l) Gemüsebrühe (Bouillon)	zum Kochen bringen, die Erbsen 10 – 15 Minuten darin garen
1 Salatgurke (400 g)	schälen, in 1 cm große Würfel schneiden, kurz vor Ende der Garzeit zu den Erbsen geben
40 g Butter **1 Eßl. gehackte Minze** **Salz** **frisch gemahlenen Pfeffer**	hinzufügen, die Bouillonerbsen nur noch leicht köcheln lassen zum Schluß bei geöffnetem Deckel so viel Flüssigkeit verdampfen lassen, daß noch etwa 100 ml Sauce übrigbleibt, mit
1 – 2 Teel. hellem Saucenbinder	verrühren, aufkochen lassen, mit Salz und Pfeffer abschmecken und mit einigen
Minzeblättchen	bestreuen.

Cremige Erbsensuppe mit Austernpilzen

1 mittelgroße Zwiebel **6 Eßl. Sojaöl**	abziehen, fein würfeln, 2 Eßlöffel von in einem Topf erhitzen, die Zwiebel darin glasig dünsten
500 g tiefgekühlte Erbsen	hinzufügen, unter Wenden kurz dünsten
750 ml (¾ l) Gemüsebrühe	hinzugießen, zum Kochen bringen, etwa 10 Minuten schwach köcheln lassen
200 g Austernpilze	putzen, in Stücke teilen, das restliche Öl in einer Pfanne erhitzen, die Austernpilze darin goldbraun braten, mit
Salz **frisch gemahlenem Pfeffer**	abschmecken, einige Erbsen aus der Brühe nehmen, beiseite stellen, die restlichen Erbsen in der Brühe pürieren, das Ganze durch ein Sieb streichen, die Hälfte von
125 g Crème double **geriebener Muskatnuß**	unterrühren, mit Salz, Pfeffer, abschmecken, Erbsen und Austernpilze dazugeben, die restliche Crème double vor dem Anrichten auf die Suppe geben, mit etwas geriebener Muskatnuß bestäuben.

Erbsen in Parmesan-Sahne

1 Eßl. Butter	zerlassen
1 Zwiebel	
1 Knoblauchzehe	beide Zutaten abziehen, fein würfeln, in der Butter glasig dünsten lassen
500 g ausgepulte junge Erbsen (etwa 1 kg mit Schoten)	waschen, hinzufügen
250 ml (¼ l) Schlagsahne	hinzugießen, aufkochen lassen
100 g geriebenen Parmesan-Käse	unterrühren, das Gemüse mit
Salz	
Pfeffer	würzen, etwa 10 Minuten dünsten lassen, dabei ab und zu umrühren.
Tip	Erbsen in Parmesan-Sahne zu rohem Schinken mit Pellkartoffeln reichen.

Erbsen in Schinken-Sauce

(Etwa 2 Portionen)

1 Pck. (300 g) tiefgekühlte junge Erbsen	mit
125 ml (⅛ l) heißem Salzwasser	übergießen, zum Kochen bringen, in etwa 8 Minuten gar kochen lassen, die Erbsen abgießen (das Gemüsewasser auffangen)
1 kleine Zwiebel	abziehen
50 g gekochten Schinken	beide Zutaten würfeln
25 g Butter oder Margarine	zerlassen, Zwiebel- und Schinkenwürfel darin anbraten
½ Pck. Instant-Helle Sauce	mit
4 Eßl. Schlagsahne	verrühren, dazugeben, das Gemüsewasser hinzugießen, mit einem Schneebesen durchschlagen, etwa 5 Minuten kochen lassen, die Sauce mit
Pfeffer	
geriebener Muskatnuß	
Beilage	abschmecken, über die Erbsen gießen.
	Gegrillte Hähnchenkeulen, Pommes frites.

Spargelsalat, Rezept Seite 69

Spargelsalat mit Kräuter-Ei-Sauce, Rezept Seite 69

Spargel-Garnelen-Cocktail, Rezept Seite 72

Salat von grünem und weißem Spargel mit gebeiztem Lachs, Rezept Seite 74

Erbsen und Möhren

500 g Möhren	putzen, schälen, waschen, wenn sie noch jung und zart sind, ganz lassen, andernfalls in Scheiben oder Stifte schneiden
250 g ausgepalte Erbsen (750 g mit Hülsen)	waschen
40 g Butter oder Margarine	zerlassen, das Gemüse darin andünsten
125 ml (⅛ l) Wasser Salz Zucker	hinzufügen, in 15 – 20 Minuten gar dünsten lassen, nach Belieben
1 Eßl. Weizenmehl 2 Eßl. kaltem Wasser	mit anrühren, das Gemüse damit binden, mit Salz abschmecken, mit
gehackter Petersilie	bestreuen.

Erbsen mit Frühlingszwiebeln

(Foto Seite 138)

40 g Butter	zerlassen
400 g ausgepalte, junge Erbsen (TK)	dazugeben, kurz andünsten, mit
Salz frisch gemahlenem Pfeffer Zucker	bestreuen
100 ml heiße Gemüsebrühe	dazugeben, etwa 10 Minuten garen
1 Bund Frühlingszwiebeln	putzen, waschen, in feine Ringe schneiden, zu den Erbsen geben und noch 2 – 3 Minuten dünsten
2 Eßl. gehackte Petersilie	darüberstreuen und servieren.

Erbsen-Auflauf mit pikanter Quarkhaube

Etwa 500 g tiefgekühlte Erbsen etwas kochendes Salzwasser	in geben, zum Kochen bringen, etwa 5 Minuten darin kochen, abtropfen lassen, von
1 Bund Frühlingszwiebeln	den welken Lauch entfernen, den übrigen Lauch von den Zwiebeln schneiden, waschen, in Ringe schneiden, die Zwiebeln evtl. abziehen, in Scheiben schneiden

50 g Butter oder Margarine	zerlassen, die Zwiebelscheiben darin etwa 3 Minuten dünsten lassen, die Lauchringe hinzufügen, etwa 2 Minuten mitdünsten lassen, die Hälfte der Zwiebeln mit den Erbsen vermengen, mit
Salz frisch gemahlenem Pfeffer	würzen, in eine gefettete Servierpfanne geben
250 g Magerquark	mit
2 Eiern	
125 ml (⅛ l) Schlagsahne	verrühren, die restlichen Zwiebeln,
1 Teel. zerdrückte grüne Pfefferkörner	unterrühren, mit Salz, Pfeffer würzen, die Masse gleichmäßig auf die Erbsen verteilen, glattstreichen
2 geräucherte Mettwürste	in Scheiben schneiden, auf der Quark-Masse anordnen, die Servierpfanne auf dem Rost in den Backofen schieben
Ober-/Unterhitze	200 – 220 °C (vorgeheizt)
Heißluft	180 – 200 °C (nicht vorgeheizt)
Gas	Stufe 3 – 4 (vorgeheizt)
Backzeit	etwa 30 Minuten.
Beigabe	Petersilienkartoffeln.

Erbsen-Krabben-Toast

100 g ausgepalte Erbsen (etwa 300 g mit Schoten)	waschen, abtropfen lassen
2 Eßl. Butter	zerlassen, die Erbsen darin in etwa 8 Minuten gar dünsten lassen, mit
Salz Pfeffer	würzen, erkalten lassen
etwa 50 g weiche Butter	mit
Knoblauchsalz	würzen
200 g Doppelrahm-Frischkäse	mit Salz, Pfeffer,
2 Eßl. Schlagsahne	verrühren
4 Scheiben Toastbrot	toasten, zuerst mit der Butter, dann mit dem Frischkäse bestreichen, die Erbsen mit
100 g frischen gepulten Nordseekrabben	vermengen, auf die Toastbrotscheiben verteilen
2 Eßl. feingehackten Dill	darüberstreuen.
Tip	Erbsen-Krabben-Toast als Vorspeise reichen.

Erbsen-Minze-Soufflé

2 Eßl. Butter	zerlassen,
150 g junge, tiefgekühlte Erbsen	dazugeben, mit
2 Eßl. Wasser	etwa 10 Minuten dünsten, pürieren, abkühlen lassen, die Hälfte von
50 g Doppelrahm-Frischkäse	unterrühren, die Masse mit
Zucker	
Salz	
Cayennepfeffer	würzen
2 Eßl. feingehackte Petersilie	
1 Eßl. feingehackte Minzeblättchen	unterrühren
125 ml (⅛ l) warme helle Sauce	mit
3 Eigelben	verrühren, abkühlen lassen, das Erbsenpüree unterrühren
4 Eiweiße	steif schlagen, unterheben, vier feuerfeste Souffléförmchen mit
Butter	einfetten, den restlichen Frischkäse auf die Förmchen verteilen, die Masse einfüllen, die Förmchen auf dem Rost in den Backofen schieben.
Ober-/Unterhitze	etwa 200 °C (vorgeheizt)
Heißluft	etwa 180 °C (nicht vorgeheizt)
Gas	etwa Stufe 4 (nicht vorgeheizt)
Garzeit	15 – 20 Minuten.

Erbsen-Reis mit Thunfischsauce

1 Teel. Speiseöl	erhitzen
250 g amerikanischen Langkornreis	darin dünsten
300 g tiefgekühlte Erbsen	
500 ml (½ l) Instant-Hühnerbrühe	hinzufügen, zum Kochen bringen, in etwa 15 Minuten ausquellen lassen
1 Eßl. gehackte Petersilie	
1 Teel. gehackte Minzeblättchen	unterrühren.

Für die Thunfischsauce

etwa 200 g Thunfisch in Öl (aus der Dose)	abtropfen lassen, zerpflücken
1 kleine Zwiebel	abziehen, mit dem Thunfisch pürieren, mit
80 g Mayonnaise	
1 Teel. Senf	verrühren, mit
Zitronensaft	
Salz	
Pfeffer	abschmecken, getrennt zum Erbsen-Reis reichen.

Erbsensalat

600 g tiefgekühlte Erbsen	in
250 ml (¼ l) Salzwasser	zum Kochen bringen, etwa 3 Minuten kochen, abtropfen lassen.

Für die Salatsauce

3 Eßl. Mayonnaise (aus dem Glas)	mit
4 Eßl. Schlagsahne	verrühren, mit
Salz	
Pfeffer	abschmecken, mit den Erbsen vermengen
1 Eßl. gehackte Petersilie	unterrühren.

Erbsensuppe mit Grießklößchen

375 g junge ausge-palte Erbsen (1 ¼ kg mit Schoten)	waschen, abtropfen lassen
2 mittelgroße Zwiebeln	abziehen, fein würfeln
20 g Margarine	zerlassen, die Zwiebelwürfel darin glasig dünsten lassen, die Erbsen (3 Eßlöffel zurücklassen) hinzufügen, kurz andünsten
750 ml (¾ l) Knochenbrühe	hinzugießen, mit
Salz	
Pfeffer	würzen, zum Kochen bringen, etwa 15 Minuten kochen lassen, durch ein Sieb streichen.

Für die Grießklößchen

125 ml (⅛ l) Milch **10 g Butter** **Salz** **geriebener Muskatnuß**	mit zum Kochen bringen, von der Kochstelle nehmen
50 g Weizengrieß	unter Rühren hineinstreuen, zu einem glatten Kloß rühren, noch etwa 1 Minute erhitzen, den heißen Kloß in eine Schüssel geben
1 Ei	unterrühren aus der Masse mit zwei Teelöffeln Klößchen formen, mit den zurückgelassenen Erbsen in die Suppe geben, in etwa 5 Minuten gar ziehen lassen
10 g Butter	unterrühren, die Suppe mit Salz abschmecken, nach Belieben mit
gehackter Petersilie	bestreuen.

Erbsengratin

2 Pck. (600 g) **tiefgekühlte Erbsen**	unaufgetaut in eine feuerfeste Schüssel geben
250 g gekochte **Pellkartoffeln**	abpellen, in kleine Würfel schneiden, mit
1 Eßl. gehackter **Petersilie** **1 Eßl. gehackter Minze** **Meersalz**	würzen, alle Zutaten mischen
2 Schalotten	abziehen, fein würfeln
40 g Butter	zerlassen, die Schalotten darin glasig dünsten
30 g Weizenvollkorn- **mehl**	hinzugeben, unter Rühren so lange erhitzen, bis es hellbraun ist
250 ml (¼ l) **Gemüsebrühe** **250 ml (¼ l) Milch**	hinzugießen, mit einem Schneebesen durchschlagen, darauf achten, daß keine Klumpen entstehen, die Sauce zum Kochen bringen, etwa 8 Minuten kochen lassen, mit Meersalz,
geriebener Muskatnuß	würzen, die Sauce über Erbsen und Kartoffeln gießen
50 g frisch geriebenen **Emmentaler Käse**	darüberstreuen, die Schüssel auf dem Rost in den Backofen schieben
Ober-/Unterhitze	200 – 220 °C (vorgeheizt)
Heißluft	180 – 200 °C (nicht vorgeheizt)
Gas	Stufe 3 – 4 (vorgeheizt)
Backzeit	etwa 20 Minuten.

Erbsensuppe „Bombay"

400 frische, ausgepalte Erbsen **125 ml (⅛ l) Salzwasser**	in etwa 15 Minuten kochen, abgießen, durch ein Sieb streichen
1 l Gemüsebrühe	mit
1 Eßl. Currypulver frisch gemahlenem schwarzem Pfeffer	
½ Teel. Honig	und den passierten Erbsen zum Kochen bringen
1 Eßl. Butter	zerlassen
2 gestr. Eßl. Buchweizenmehl	unter Rühren so lange darin erhitzen, bis es leicht gebräunt ist, die Mehlschwitze in die Suppe rühren, 5 Minuten kochen lassen
2 Eßl. abgezogene, gehobelte Mandeln **1 Eßl. Pinienkerne**	beide Zutaten in einer trockenen Pfanne leicht anrösten, in die Suppe geben
125 ml (⅛ l) Schlagsahne	hinzugießen (nicht kochen lassen), die Suppe sofort servieren.

Erbsensuppe mit Hummerkrabben

1 kg Rinderknochen	waschen, in
2 l kaltem Wasser	zum Kochen bringen, abschäumen
1 Bund Suppengrün	putzen, waschen, grob zerkleinern
1 Bund glatte Petersilie	waschen, beide Zutaten mit
2 Lorbeerblättern **1 Teel. weißen Pfefferkörnern**	in die Flüssigkeit geben, zum Kochen bringen, in etwa 1 Stunde auf 750 ml (¾ l) Brühe einkochen lassen, mit
Salz	würzen, durch ein Sieb gießen
etwa 450 g ausgepulte Erbsen (etwa 1 kg mit Schoten)	waschen, in die Brühe geben, zum Kochen bringen, in etwa 15 Minuten gar kochen lassen, etwas pürieren
2 Eigelbe	mit
4 Eßl. Schlagsahne	verschlagen, die Suppe damit legieren (nicht mehr kochen)
2 – 3 Eßl. gehackte Kerbelblättchen	unterrühren, die Suppe mit Salz abschmecken, warm stellen

4 küchenfertige Hummerkrabben (etwa 200 g) **1 – 2 Eßl. Butter**	unter fließendem kaltem Wasser abspülen, trockentupfen zerlassen, die Hummerkrabben darin von jeder Seite 2 – 3 Minuten braten, auf vier vorgewärmte Teller geben, die Erbsensuppe darübergeben, sofort servieren.
Beigabe	Stangenweißbrot.

Frühlingspüree

(Für 2 Portionen)

500 g mehligkochende Kartoffeln	waschen, in Wasser zum Kochen bringen, in etwa 20 Minuten gar kochen lassen, abgießen, pellen, durch eine Kartoffelpresse drücken
100 ml heiße Milch	unterrühren
150 g tiefgefrorene Erbsen	in wenig Wasser auftauen lassen, in dem Wasser garen, das Wasser abgießen, die Erbsen unter das Püree ziehen, mit
geriebener Muskatnuß Salz frisch gemahlenem Pfeffer	abschmecken
½ Bund Kerbel	abspülen, die Blättchen von den Stengeln zupfen, fein schneiden, vor dem Servieren den Kerbel unterziehen.

Provencalische Erbsensuppe

(3 – 4 Portionen)

1 Knoblauchzehe	abziehen, durch die Knoblauchpresse drücken
1 Eßl. Olivenöl	erhitzen, den Knoblauch darin andünsten lassen
450 g tiefgekühlten Rahmporree	hinzugeben
etwa 500 g Tomaten (aus der Dose)	mit der Flüssigkeit hinzugeben, die Tomaten mit einer Gabel zerdrücken, mit
Salz frisch gemahlenem Pfeffer gerebeltem Rosmarin 1 Prise Zucker Cayennepfeffer	kräftig würzen, den Eintopf im geschlossenen Topf unter gelegentlichem Rühren etwa 15 Minuten kochen lassen

300 g tiefgekühlte Perlerbsen	hinzufügen, weitere 5 Minuten kochen lassen, nach Belieben
125 ml (⅛ l) Instant-Fleischbrühe	hinzugießen
1 l Salzwasser	mit
1 – 2 Eßl. Essig	zum Kochen bringen, nacheinander
3 – 4 Eier	hineinschlagen, etwa 5 Minuten pochieren, die Eier mit einer Schaumkelle herausnehmen, gut abtropfen lassen
3 – 4 Scheiben Toastbrot	von beiden Seiten toasten, in jeden Teller 1 Scheibe Brot geben, ein Ei darauflegen, mit der Suppe übergießen.

Zarte Zuckerschoten

(Foto Seite 139)

	Von
500 g Zuckerschoten	die Enden abschneiden, waschen
750 ml (¾ l) Wasser	aufkochen, die Zuckerschoten hineingeben, etwa 5 Minuten kochen lassen, abgießen
3 Eßl. Kerbel	abspülen, trockentupfen, die Blättchen von den Stengeln zupfen
3 Eßl. Butter	zerlassen, die Schoten darin schwenken, mit Kerbel und Pfeffer abschmecken.

Zuckerschoten

	Von
500 g Zuckerschoten	die Enden abschneiden, die Schoten evtl. abfädeln, waschen
75 g Butter	zerlassen, die Schoten kurze Zeit darin andünsten
Salz	
Zucker	
100 ml Gemüsebrühe	hinzufügen, die Schoten in 10 – 15 Minuten gar dünsten lassen, mit Salz, Zucker abschmecken.

Zuckerschoten mit Mandelbutter

Von

600 g Zuckerschoten	die Enden abschneiden, die Schoten waschen, abtropfen lassen, in
kochendes Salzwasser	geben, zum Kochen bringen, etwa 5 Minuten kochen, abtropfen lassen
30 g Butter	zerlassen, etwas bräunen lassen
20 g abgezogene, gehobelte Mandeln	darin unter Rühren leicht bräunen lassen, die Zuckerschoten hinzufügen, gut durchschwenken, mit
Salz frisch gemahlenem Pfeffer	würzen, sofort servieren.
Tip	Zuckerschoten mit Mandelbutter zu kurzgebratenem Fleisch, z. B. Filetsteaks reichen.

Zuckerschoten mit Zitronensauce

Von

300 g Zuckerschoten	die Enden abschneiden, die Schoten waschen, abtropfen lassen, in
kochendes Salzwasser	geben
1 Eßl. Speiseöl	hinzufügen, zum Kochen bringen, 5 – 7 Minuten kochen, abtropfen lassen, in einer vorgewärmten Schüssel anrichten.

Für die Zitronensauce

½ Becher (75 g) Crème fraîche	mit
1 Eßl. Joghurt abgeriebener Zitronenschale (unbehandelt) Salz frisch gemahlenem Pfeffer Zucker gehackten Zitronen- melisseblättchen	verrühren die Sauce zu den Zuckerschoten reichen.

109

Hähnchenauflauf mit Zuckerschoten und Zucchini in Kräuter-Käse-Creme

(Foto Seite 140)

400 g Hähnchenfleisch	unter fließendem kaltem Wasser abspülen, trockentupfen, in grobe Würfel schneiden,
3 Eßl. Speiseöl	in einer Pfanne erhitzen, das Hähnchenfleisch rundherum kräftig anbraten, von
200 g Zuckerschoten	die Enden abschneiden, in kochendem Wasser etwa 2 Minuten blanchieren, auf einem Sieb abtropfen lassen
1 mittelgroße Zwiebel	abziehen, würfeln, in der für das Fleisch benutzten Pfanne andünsten
200 g Zucchini	waschen, abtrocknen, die Enden abschneiden, in Scheiben schneiden, hinzufügen und andünsten, mit
Salz **frisch gemahlenem** **Pfeffer** **etwas geriebener** **Muskatnuß** **1 abgezogenen,** **zerdrückten** **Knoblauchzehe**	würzen
125 g Doppelrahm- **Frischkäse** **200 ml Schlagsahne** **2 Eiern** **1 Eßl. gehacktem Kerbel** **1 Eßl. gehackter** **Petersilie** **1 Eßl. geschnittenem** **Schnittlauch**	mit verrühren, eine flache Auflaufform ausbuttern, mit Fleisch-, Gemüse- und Zwiebelwürfeln füllen, mit der Eiersahne übergießen
40 g geriebenen **Greyerzer** **30 g Butterflöckchen**	darüberstreuen, auf dem Rost in den kalten Backofen schieben
Ober-/Unterhitze	180 – 200 °C
Heißluft	160 – 180 °C
Gas	Stufe 3 – 4
Backzeit	30 – 40 Minuten.

Porree
(Foto Seite 137)

1 kg Porree (Lauch)	putzen, die Stangen halbieren, waschen, in 6 cm lange Stücke schneiden
250 ml (¼ l) Fleisch- oder Gemüsebrühe	zum Kochen bringen, die Porreestücke hineingeben, in 5 – 10 Minuten gar kochen lassen, auf ein Sieb geben, abtropfen lassen
75 g Butter	zerlassen, den Lauch darin schwenken, mit
Salz geriebener Muskatnuß	würzen, mit
1 Eßl. gehackter Petersilie	bestreuen.
Abwandlung	Anstelle von Porree 750 g Staudensellerie putzen, waschen, in 6 cm lange Stücke schneiden, 15 – 20 Minuten garen.

Porree in Tomatensauce

1 kg Porree	von Wurzel und welken Blattenden befreien, seitlich aufschneiden, unter fließendem kaltem Wasser abspülen, in schräge, etwa 5 cm lange Stücke teilen
3 Eßl. Olivenöl	in einer Pfanne erhitzen, Porree kräftig anbraten, mit
500 g passierten Tomaten 1 Teel. Thymian 1 Teel. Honig Pfeffer	angießen, mit
	würzen, bei kleiner Hitze etwa 15 Minuten dünsten, bis der Porree gar ist, aber noch Biß hat
2 Eßl. Sesamsamen	in einer Pfanne leicht anrösten, über das Gemüse streuen.
Tip	Heiß als Beilage oder lauwarm als Vorspeise servieren.

111

Porree-Eier-Ragout

1 kg Porree (Lauch)	putzen, der Länge nach aufschneiden, gründlich waschen, abtropfen lassen, in Scheiben schneiden
3 Eßl. Butter	zerlassen, den Porree hineingeben, etwas andünsten
250 ml (¼ l) Hühnerbrühe	hinzugießen
1 Becher (150 g) Crème fraîche	unterrühren, das Gemüse zugedeckt bei mittlerer Hitze in etwa 15 Minuten gar dünsten
3 Eßl. trockenen Weißwein	unterrühren, mit
Salz weißem Pfeffer geriebener Muskatnuß Worcestersauce Zitronensaft	würzen
8 hartgekochte Eier	pellen, vierteln, vorsichtig unter das Porreegemüse heben, kurz mit erhitzen.

Porree-Kartoffel-Suppe

500 g Porree (Lauch) vorbereitet gewogen	putzen, die Stangen längs halbieren, waschen, in fingerdicke Streifen schneiden
2 – 3 Zwiebeln	abziehen
500 g Kartoffeln	waschen, schälen, abspülen, beide Zutaten würfeln, abwechselnd mit dem Porree
4 Rauchenden Salz frisch gemahlenem Pfeffer gerebeltem Majoran	in den gewässerten Römertopf schichten, jede Schicht mit bestreuen
750 ml (¾ l) heiße Gemüsebrühe	hinzugießen, den Römertopf mit dem Deckel verschließen, auf dem Rost in den kalten Backofen schieben
Ober-/Unterhitze	200 – 220 °C
Heißluft	180 – 200 °C
Gas	Stufe 4 – 5
Garzeit	etwa 60 Minuten.

Porree-Käse-Suppe

(Für 8 Portionen)

4 Eßl. Speiseöl	in einem Topf erhitzen
1 kg Hackfleisch	
(halb Rind-, halb	
Schweinefleisch)	darin anbraten, mit einer Gabel die Klümpchen zerdrücken, mit
Salz	
frisch gemahlenem	
Pfeffer	bestreuen
400 g Zwiebeln	abziehen, würfeln
800 g Porree (Lauch)	putzen, die Stangen halbieren, waschen, den Porree in dünne Ringe schneiden
	Zwiebelwürfel und Porreeringe zu dem Fleisch geben, etwa 10 Minuten schmoren lassen, zwischendurch umrühren
1 l Gemüsebrühe	hinzufügen, zum Kochen bringen, 10 – 15 Minuten kochen lassen
1 Glas (530 g)	
Champignons	
mit Flüssigkeit	
400 g Kräuter-	
schmelzkäse	dazugeben, umrühren, einmal aufkochen lassen, nochmals mit Salz, Pfeffer abschmecken.

Porree-Möhren-Salat

500 g Möhren	
100 g Knollensellerie	putzen, schälen, waschen, fein raspeln
1 Stange Porree (Lauch)	putzen, den weißen Teil in ganz feine Ringe schneiden, gründlich waschen, abtropfen lassen
100 g Walnußkerne	grob hacken
125 ml (⅛ l) Schlagsahne	mit dem
Saft von 1 Zitrone	
1 Teel. Honig	
Salz	
frisch gemahlenen	
Pfeffer	verrühren
	die Sauce mit den Salatzutaten vermengen.

Porree-Pfanne

500 g Schweinefilet	waschen, abtrocknen, in sehr dünne Scheiben schneiden
2 Stangen Porree (Lauch, etwa 500 g)	putzen, schräg in feine Ringe schneiden, waschen, abtropfen lassen
175 g Champignons (aus der Dose)	abtropfen lassen, in sehr dünne Scheiben schneiden
175 g Sojakeimlinge (aus der Dose)	abtropfen lassen, die Zutaten in Schälchen anrichten
4 Eigelbe	in Schälchen geben
2 Eßl. Speiseöl	in einer Fondue-Pfanne auf dem Rechaud erhitzen, einige Fleischscheiben darin anbraten, etwas von dem Gemüse dazugeben
Sojasauce	
Sherry	darüberträufeln, mit
etwas Zucker	bestreuen, unter Rühren durchdünsten lassen, auf Teller verteilen, mit etwas von dem Eigelb vermengen, das restliche Fleisch und Gemüse auf die gleiche Weise zubereiten.
Beigabe	Körnig gekochter Reis, in Butter gebraten.

Porree-Roquefort-Toast

2 mittelgroße Stangen Porree (Lauch)	putzen, längs halbieren, waschen, in Stücke schneiden (in der Größe von Toastbrotscheiben), in
kochendes Salzwasser	geben, zum Kochen bringen, 4 – 5 Minuten kochen, abtropfen lassen
4 Scheiben Roggen-Toastbrot (80 g)	mit
20 g Pflanzenmargarine	bestreichen
2 große Scheiben Rinder-saftschinken (60 g)	halbieren, auf die Toastbrot-Scheiben legen, darauf den Porree verteilen
100 g Roquefortkäse	in Scheiben schneiden, auf dem Porree anordnen, die Toastbrot-Scheiben in eine gefettete, feuerfeste Pfanne setzen, auf dem Rost in den Backofen schieben
Ober-/Unterhitze	220 – 250 °C (vorgeheizt)
Heißluft	etwa 200 °C (nicht vorgeheizt)
Gas	Stufe 5 – 6 (vorgeheizt)
Backzeit	etwa 10 Minuten.

114

Porreesalat

Etwa 185 g Selleriesalat (aus dem Glas)	abtropfen lassen
300 g Porree (Lauch, etwa 2 Stangen)	putzen, längs halbieren, in Scheiben schneiden, gründlich waschen, abtropfen lassen
3 Scheiben Ananas (aus der Dose)	abtropfen lassen, den Saft auffangen, die Ananasscheiben in Streifen schneiden
1 säuerlichen Apfel	schälen, vierteln, entkernen, in Streifen schneiden
100 g gekochten Schinken	in Streifen schneiden.

Für die Salatsauce

1 Becher (150 g) Crème fraîche	mit
1 Eßl. Essig 1 – 2 Eßl. Ananassaft	verrühren, mit
Salz frisch gemahlenem Pfeffer Currypulver	abschmecken, die Salat-Sauce mit den Salat-Zutaten vermengen, den Salat gut durchziehen lassen, evtl. nochmals mit Salz, Pfeffer, Curry abschmecken, mit
Tomatenachteln Petersilie	garnieren.
Beigabe	Zwiebelbrot oder Bauernbrot.

Porreespaghetti

750 g Porree (Lauch)	putzen, längs halbieren, in Streifen schneiden, gründlich waschen
400 g Spaghetti	in
5 l kochendes Salzwasser	geben
1 Eßl. Speiseöl	hinzufügen, zum Kochen bringen, ab und zu umrühren, die Nudeln nach Packungsaufschrift garen, zwischendurch probieren, etwa 3 Minuten vor Beendigung der Kochzeit die Porreestreifen hinzufügen, mitkochen lassen, Spaghetti und Porreestreifen auf ein Sieb geben, mit kaltem Wasser übergießen, abtropfen lassen
50 g Butter	zerlassen, leicht bräunen lassen
200 g gekochten Schinken	in Streifen schneiden, mit den Porreenudeln zu der Butter geben, gut durchschwenken, mit
Salz Pfeffer	würzen.
Beigabe	Tomatensauce.

Porree-Topf mit Tomaten

150 g durchwachsenen Speck	in Würfel schneiden
1 große Zwiebel	abziehen, würfeln
1 Eßl. Margarine	zerlassen, Speck- und Zwiebelwürfel darin glasig dünsten lassen
1 kg Porree (Lauch, vorbereitet gewogen)	gründlich waschen, dicke Stangen halbieren, in etwa 5 cm lange Stücke schneiden, nochmals waschen, abtropfen lassen, zu dem Speck geben
375 – 500 ml (⅜ – ½ l) heiße Instant-Fleischbrühe	hinzugießen, zum Kochen bringen, in etwa 20 Minuten fast gar kochen lassen
4 enthäutete Tomaten	vierteln, zu dem Porree geben, mit
½ Teel. Currypulver	
Salz	
1 Msp. Paprika edelsüß	würzen, noch etwa 5 Minuten kochen lassen.
Beilage	Salzkartoffeln oder Reis, Brühwürstchen.

Porreecreme

2 kleine Stangen Porree (Lauch)	putzen, so viel von dem dunklen Grün entfernen, daß nur die hellen Blätter zurückbleiben, den Porree waschen, in feine Ringe schneiden
1 Eßl. Butter	zerlassen, den Porree darin andünsten
250 ml (¼ l) Weißwein	hinzugießen, zum Kochen bringen, etwa 20 Minuten dünsten lassen, den Porree im Mixer pürieren, wieder in den Topf zurückgeben
1 Eigelb	mit
125 ml (⅛ l) Schlagsahne	verschlagen, die Sauce damit abziehen (nicht mehr kochen lassen), mit
Salz	
frisch gemahlenem Pfeffer	abschmecken
1 Teel. gehackte Estragonblätter	unterrühren.
Tip	Porreecreme zu Schweinefilet oder Kalbskotelett reichen.

Nudelsalat mit grünem Spargel und Shrimps, Rezept Seite 76

Marinierter Spargel, Rezept Seite 83

Spargelsülze mit Kräutern, Rezept Seite 85

Spargeltoast mit Schinkencreme, Rezept Seite 92

Porreecremesuppe

2 Stangen Porree (Lauch)	putzen, gründlich waschen, in Scheiben schneiden
300 g Kartoffeln	schälen, in Würfel schneiden
1 l Fleischbrühe	zum Kochen bringen, beide Zutaten und
1 Lorbeerblatt	
1 Knoblauchzehe	in die Brühe geben, etwa 20 Minuten kochen lassen, die Brühe durch ein Sieb streichen, aufkochen, mit
Salz	
Tabasco	abschmecken
1 Becher (150 g) Crème fraîche	einrühren, erneut abschmecken.
Tip	Die gleiche Suppe kann mit allen Gemüsen zubereitet werden, die so weich kochen, daß man sie durch ein Sieb streichen kann, also etwa Erbsen, Möhren, Zwiebeln oder Sellerie.

Nudel-Porree-Auflauf mit Gorgonzola

400 g Bandnudeln	in
1 ½ l Salzwasser	nach der Anleitung kochen, abgießen, mit kaltem Wasser abschrecken, abtropfen lassen
1, 5 kg Porree (Lauch)	putzen, gründlich waschen, in etwa 1 cm breite Ringe schneiden
40 g Butter	zerlassen, Porree darin andünsten, mit
125 ml (⅛ l) Weißwein	ablöschen, mit
Salz	würzen, den Porree noch etwa 3 Minuten weiterdünsten, die Flüssigkeit abgießen und mit
250 ml (¼ l) Milch	
200 g Crème fraîche	erhitzen
200 g Gorgonzola	hineinbröckeln und unter Rühren schmelzen lassen
1 Eßl. Speisestärke	mit
1 – 2 Eßl. kaltem Wasser	anrühren, die Flüssigkeit damit binden, mit
frisch gemahlenem Pfeffer	abschmecken, die Hälfte der Nudeln, des Porrees und der Sauce in eine gefettete Auflaufform schichten, die zweite Hälfte darübergeben, in den Backofen schieben
Ober-/Unterhitze	etwa 200 °C (vorgeheizt)
Heißluft	etwa 180 °C (vorgeheizt)
Gas	etwa Stufe 3 (vorgeheizt)
Backzeit	25 – 30 Minuten.

Marinierter Porree

10 Stangen Porree (Lauch) (etwa 1 kg)	putzen, das dunkle Grün bis auf 10 cm entfernen, die Stangen längs einschneiden, gründlich waschen, in
1 l kochendes Salzwasser	geben
1 Knoblauchzehe	abziehen, hinzufügen, die Porreestangen zum Kochen bringen, 12 – 15 Minuten kochen, abtropfen, erkalten lassen, auf einer Platte anrichten.

Für die Sauce vinaigrette

3 Eßl. Salatöl	mit
2 Eßl. Weißweinessig	
1 Teel. Senf	verrühren, mit
Salz	
frisch gemahlenem schwarzem Pfeffer	würzen
2 Eßl. feingeschnittenen Schnittlauch	unterrühren, die Sauce vinaigrette über die Porreestangen gießen, 1 – 2 Stunden durchziehen lassen
1 – 2 hartgekochte Eier	pellen, hacken, kurz vor dem Servieren über die Porreestangen streuen.

Marinierter Porree nach Mittelmeerart

1 kg Porree (Lauch – 10 dünne Stangen)	putzen, das dunkle Grün bis auf etwa 10 cm entfernen, die Porreestangen längs einschneiden, gründlich waschen, mit Küchengarn zu kleinen Bündeln zusammenbinden
125 ml (⅛ l) Wasser	mit
125 ml (⅛ l) Weißwein	
5 – 6 Eßl. Zitronensaft	
6 Eßl. Olivenöl	vermengen
3 – 4 Thymianzweige	
10 Zweige glatte Petersilie	die Kräuter vorsichtig abspülen, abtropfen lassen, mit
1 Eßl. Korianderkörnern	
6 Lorbeerblättern	
Salz	
frisch gemahlenem Pfeffer	in die Flüssigkeit geben, zum Kochen bringen, etwa 10 Minuten kochen, die Porreebündel hineingeben, zum Kochen bringen, in etwa 15 Minuten gar kochen lassen, in der Flüssigkeit erkalten lassen, mit einem Schaumlöffel herausnehmen, das Küchengarn entfernen, die Porreestangen auf einer Platte anrichten, mit etwas von der erkalteten Flüssigkeit übergießen.

Hähnchenbrüste mit Krabben und Porreeschaum

(8 Portionen)

4 kleine Hähnchenbrüste (etwa 800 – 1000 g)	vom Brustbein befreien, halbieren, unter fließendem kaltem Wasser abspülen, trockentupfen, mit
Salz **frisch gemahlenem** **Pfeffer**	einreiben
3 Eßl. Butter	zerlassen, die Hähnchenbrüste darin etwa 15 Minuten von beiden Seiten dünsten, etwa 10 Minuten nachgaren lassen, die Haut abziehen.

Für den Porreeschaum

3 kleine Stangen Porree (Lauch)	putzen, in 5 cm dicke Stücke schneiden, waschen
1 Eßl. Schweineschmalz	zerlassen, Porree darin anbraten
100 ml Fleischbrühe	hinzugießen, den Porree in 10 – 15 Minuten gar dünsten, die Flüssigkeit verkochen lassen, den Porree pürieren, mit
1 abgezogenen zerdrückten Knoblauchzehe	verrühren, mit Salz, Pfeffer,
geriebener Muskatnuß	würzen, abkühlen lassen, mit
100 g Crème fraîche **50 g Doppelrahm-Frischkäse**	verrühren, auf die Filets verteilen
3 Eßl. Speiseöl	erhitzen
8 große geschälte Scampi (roh)	von beiden Seiten je 2 Minuten bei starker Hitze braten, mit Salz, Pfeffer bestreuen, abkühlen lassen, auf die Hähnchenbrüste verteilen.
Beilage	Reis.

Hähnchenbrust mit Porreesahne

4 Hähnchenbrustfilets (je etwa 150 g)	unter fließendem kaltem Wasser abspülen, trockentupfen, mit
Salz **frisch gemahlenem** **Pfeffer**	bestreuen
1 Schalotte	abziehen, würfeln
2 Stangen Porree (Lauch)	putzen, waschen

123

100 g Butter	zerlassen, Hähnchenbrustfilets und Schalotten darin goldbraun anbraten, Fleisch herausnehmen und warmstellen, den Bratensatz mit
4 cl Noilly Prat	und
250 ml (¼ l) Weißwein	ablöschen
125 ml (⅛ l) Schlagsahne	
125 g Crème fraîche	zugeben und auf die gewünschte Konsistenz einkochen, Porree zugeben und einige Minuten mitkochen lassen, Sauce mit Salz, Pfeffer,
2 Eßl. Schnittlauchröllchen	abschmecken, Filets auf der Sauce anrichten.
Beilage	Gemüsereis.

Zwiebel-Porree-Pizza

Für den Teig

250 g Weizenvollkornmehl	in eine Rührschüssel geben, mit
½ Pck. Trocken-Backhefe	sorgfältig mischen
1 Teel. gemahlenen Kümmel	
70 g geriebenen Emmentaler Käse	
1 Teel. Meersalz	
60 ml (¹⁄₁₆ l) lauwarmes Wasser	
1 Ei	
50 g zerlassene, abgekühlte Butter	hinzufügen, alle Zutaten mit einem Handrührgerät mit Knethaken zu einem geschmeidigen Teig verarbeiten, an einem warmen Ort so lange gehen lassen, bis er sich sichtbar vergrößert hat, ihn dann auf höchster Stufe nochmals kräftig durchkneten, ⅔ des Teiges auf dem gefetteten Boden einer Springform (Durchmesser etwa 28 cm) ausrollen, den Rest des Teiges zu einer Rolle formen, sie als Rand auf den Teigboden legen, so an die Form drücken, daß ein 2 – 3 cm hoher Rand entsteht.

Für den Belag

150 g Zwiebeln	abziehen, in dünne Ringe schneiden, in
40 g Butter	glasig dünsten
200 g Porree (Lauch)	putzen, waschen, in Ringe schneiden
4 Eßl. Wasser	
1 Teel. Instant-Klare Brühe	hinzufügen, die Zutaten etwa 12 Minuten dünsten
1 Teel. frischen Majoran	
2 Teel. frischen Thymian	
½ Teel. frischen Rosmarin	fein hacken

1 Msp. weißen Pfeffer	
Meersalz	dazugeben, pikant abschmecken
60 g geriebenen	
Goudakäse	auf den Boden der Springform verteilen, das abgekühlte Gemüse darüber verteilen
80 g geröstete	
Erdnüsse	
60 g geriebenen	
Goudakäse	darüber verteilen.

Für den Guß

4 Eier	
100 g Crème fraîche	
½ Teel. Kräutersalz	miteinander verrühren, über die Masse gießen, die Form auf dem Rost in den Backofen schieben
Ober-/Unterhitze	etwa 200 °C (vorgeheizt)
Heißluft	etwa 180 °C (nicht vorgeheizt)
Gas	Stufe 3 – 4 (vorgeheizt)
Backzeit	40 – 50 Minuten.

Gratinierte Porreesuppe

(Foto Seite 158)

375 g Porree (Lauch, vorbereitet gewogen)	gründlich waschen, in Ringe schneiden (evtl. nochmals waschen)
3 – 4 Eßl. Speiseöl	erhitzen, das Gemüse darin andünsten
1 l Wasser	hinzugießen
3 gestr. Eßl. Klare Fleischsuppe Instant	unterrühren, zum Kochen bringen, in 15 – 20 Minuten gar kochen lassen
1 – 2 Eßl. Speisestärke	mit
1 Eigelb	
4 Eßl. kalter Milch	anrühren, die Suppe damit binden
1 Eiweiß	steif schlagen, darunter
50 g geriebenen Käse, z. B. Emmentaler	heben, die Suppe auf vorgewärmte Suppentassen oder -teller verteilen, auf jede Portion etwas von der Eischnee-Käse-Masse geben, im vorgeheizten Grill kurz überbacken.

Gefüllter Porree

4 mittelgroße Stangen Porree (Lauch)	putzen, gründlich waschen und in 8 Stücke schneiden, etwa 5 Minuten in
kochendem Salzwasser	vorgaren, Porree herausnehmen und den Gemüsesud zur Seite stellen, den Porree auf einer Seite aufschneiden, die Innenblätter herausnehmen und fein hacken
2 Zwiebeln	abziehen, fein hacken
250 g Rindergehacktes	mit den gehackten Porreeblättchen, Zwiebelwürfeln,
2 Eßl. Schnittlauchröllchen	
1 Ei	
3 Teel. geriebenem Emmentaler Käse	
2 Eßl. Tomatenmark	verkneten, mit
Salz	
frisch gemahlenem Pfeffer	
Paprika edelsüß	würzen, den Gehacktesteig in 8 Portionen teilen, den Porree etwas auseinanderziehen und mit dem Fleischteig füllen, die Porreerollen in eine gefettete Auflaufform geben, mit 125 ml (⅛ l) der Porreebrühe auffüllen und die Form auf dem Rost in den Backofen schieben
Ober-/Unterhitze	etwa 180 °C (vorgeheizt)
Heißluft	etwa 160 °C (nicht vorgeheizt)
Gas	Stufe 2 – 3 (vorgeheizt)
Garzeit	15 – 20 Minuten.
Tip	Mit Kartoffelpüree servieren.

Fischrollen auf Lauchgemüse

4 Rotbarschfilets (etwa 750 g)	unter fließendem kaltem Wasser abspülen, trockentupfen, mit
Zitronensaft	beträufeln, mit
Salz	bestreuen, je 1 Fischfilet zwischen 2 von
8 Scheiben Schinkenspeck	legen, jeweils die obere Speckscheibe mit
Senf	bestreichen, mit
frisch gemahlenem Pfeffer	bestreuen, aufrollen
etwa 800 g Lauch (Porree)	putzen, längs halbieren, gründlich waschen, in etwa 2 cm große Stücke schneiden, in den gewässerten Römertopf geben, mit Salz, Pfeffer würzen, die Fischrollen darauflegen

30 g Butter	in Flöckchen daraufsetzen, den Römertopf mit dem Deckel verschließen, auf dem Rost in den kalten Backofen schieben
Ober-/Unterhitze	200 – 220 °C
Heißluft	180 – 200 °C
Gas	Stufe 4 – 5
Garzeit	etwa 60 Minuten.

Apfel-Porree-Salat

(Für 2 Portionen)

2 Äpfel	schälen, grob raspeln
200 g Porree (Lauch)	putzen, waschen und in feine Ringe schneiden
2 Becher Joghurt	
(à 150 g)	mit
etwas Zitronensaft	glattrühren, evtl. mit
Zucker	abschmecken, mit Äpfeln und Joghurt vermengen, mit
2 gehackten	
Walnußkernhälften	garnieren.

Porreecremesuppe mit Dill

150 g Möhren	putzen, schälen, waschen, fein raspeln, in
2 Eßl. Butter	andünsten
200 g mehlige	
Kartoffeln	schälen, waschen, fein würfeln, hinzufügen
600 g Porree (Lauch)	der Länge nach aufschneiden, ausspülen, in feine Ringe schneiden, hinzufügen, mit
1 l Gemüsebrühe	aufgießen, aufkochen und etwa 40 Minuten bei geringer Hitze gar kochen lassen, mit
1 Teel. Salz	
1 Teel. weißem Pfeffer	
1 Prise Chilipulver	würzen, im Mixer oder mit dem Pürierstab fein zerkleinern, nochmals aufkochen und mit
1 Eßl. Weißweinessig	abschmecken
1 Bund Dill	abspülen, trockentupfen, die Spitzen von den Stengeln zupfen, die Suppe auf vier Teller verteilen, je
1 Eßl. saure Sahne	in die Mitte setzen, mit Dill bestreuen.

Porreegemüse

Etwa 500 g Porree (Lauch, vorbereitet gewogen)	putzen, waschen, in Stücke schneiden, mit
125 ml (⅛ l) Gemüsebrühe	
Salz	
etwas geriebener Muskatnuß	in einen Topf geben
30 g Butter	in Flöckchen daraufgeben, zugedeckt etwa 20 Minuten dünsten lassen
2 Eßl. Schlagsahne	hinzugeben, umrühren, sofort servieren.

Porreegemüse

250 g durchwachsenen Speck	in Würfel schneiden, ausbraten
1 kg Porree (Lauch)	putzen, waschen, in etwa 2 cm dicke Scheiben schneiden, evtl. nochmals waschen, zu dem Speck geben, kurz mitdünsten lassen
125 ml (⅛ l) Fleischbrühe	hinzugießen, das Gemüse im geschlossenen Topf etwa 15 Minuten dünsten lassen, mit
Salz	
Pfeffer	würzen
1 – 2 Eßl. Weizenmehl	mit
250 ml (¼ l) Schlagsahne	anrühren, zu dem Gemüse geben, unter Rühren einmal aufkochen lassen
1 Bund Petersilie	vorsichtig abspülen, trockentupfen, hacken, über das Gemüse streuen.

Porreenudeln

600 g Porree (Lauch)	putzen, in streichholzfeine Stifte schneiden (dunkles Grün nicht mitverwenden), waschen, in
kochendem Salzwasser	etwa 2 Minuten blanchieren, in kaltes Wasser geben, auf einem Sieb abtropfen lassen
200 g Fadennudeln oder feine Suppennudeln	in
2 ½ l kochendes Salzwasser	geben
1 Eßl. Speiseöl	hinzufügen, die Nudeln nach Packungsaufschrift garen, zwischendurch probieren, wenn die Nudeln gar sind, den Garvorgang mit einem Schuß kaltem Wasser beenden, die Nudeln auf ein Sieb geben, abtropfen lassen.

	Für die Sauce
50 g Butter	in einem Topf zerlassen
250 ml (¼ l) Schlagsahne	hinzugießen
200 g geriebenen Pikantje van Gouda	dazugeben, mit einem Schneebesen unter Rühren so lange erhitzen, bis die Masse gebunden ist, mit
Salz	
Pfeffer	
geriebener Muskatnuß	abschmecken, Nudeln und Porree mischen, in eine gefettete Auflaufform füllen, die Sauce darübergießen, die Form auf dem Rost in den Backofen schieben
Ober-/Unterhitze	240 – 260 °C (vorgeheizt)
Heißluft	220 – 240 °C (nicht vorgeheizt)
Gas	etwa Stufe 6 (vorgeheizt)
Backzeit	etwa 10 Minuten.
Tip	Nach Belieben die Nudeln in Hühnerbrühe statt in Salzwasser garen.

Porreesalat mit geräucherter Putenbrust

750 g Porree (etwa 8 Stangen)	putzen, das dunkle Grün bis auf etwa 10 cm entfernen, den Porree schräg in dünne Scheiben schneiden, gründlich waschen, in
kochendes Salzwasser	geben, zum Kochen bringen, auf ein Sieb geben, mit kaltem Wasser übergießen, gut abtropfen, erkalten lassen
500 g geräucherte Putenbrust	in Streifen schneiden.
	Für die Salatsauce
6 Eßl. Salatöl	mit
4 Eßl. Zitronensaft	verrühren
etwa 10 g frische Ingwerwurzel	schälen, raspeln oder in feine Stifte schneiden, hinzufügen die Salatsauce mit
Zucker	abschmecken, mit den Salatzutaten vermengen, den Salat etwas durchziehen lassen, evtl. mit Zucker,
Salz	abschmecken.
Tip	Porreesalat als Vorspeise mit Roggenbrötchen und Butter reichen.

Porreesuppe

375 g Porree (Lauch)	putzen, waschen, in feine Ringe schneiden (evtl. nochmals waschen)
2 Eßl. Butter oder Margarine	in einem Topf zerlassen, den Porree darin andünsten
4 gestrichene Eßl. Weizenmehl	darüberstäuben, durchdünsten lassen
1 – 1 ½ l heiße Fleischbrühe (aus Brühwürfeln)	hinzugießen, etwa 10 Minuten zugedeckt kochen lassen, den Topf noch etwa 5 Minuten auf der Kochstelle stehen lassen, nach Belieben
1 Eigelb	mit
2 Eßl. von der Suppe	verschlagen, die Suppe damit abziehen
1 – 2 Eßl. saure Sahne	unterrühren, die Suppe mit
Salz Streuwürze geriebener Muskatnuß	abschmecken.

Porreesuppe mit Sauerampfer

2 Stangen Porree (Lauch) 500 g festkochende Kartoffeln	schälen, waschen, in Würfel schneiden
1 Gemüsezwiebel	abziehen, in Streifen schneiden
100 g Butter	zerlassen, das Gemüse darin leicht glasig dünsten, mit
750 ml (¾ l) Hühnerbrühe	auffüllen, bei geringer Hitze um ein Drittel einkochen, mit
100 ml Schlagsahne	verfeinern, mit
Salz frisch gemahlenem Pfeffer gerebeltem Majoran	abschmecken
50 g Sauerampfer	putzen, abspülen, abtropfen lassen, in feine Streifen schneiden, kurz vor dem Servieren in die Suppe geben.
Tip	Falls kein Sauerampfer erhältlich, ist kann man ihn durch Streifen von Kopfsalat ersetzen, damit geht aber der pikant-saure Geschmack des Sauerampfers verloren.

Porreetorte

1 Pck. tiefgekühlten Blätterteig	nach der Vorschrift auf der Packung auftauen lassen
1 kg Porree (Lauch)	putzen, das dunkle Grün bis auf 10 cm entfernen, den Porree längs halbieren, in 1 – 2 cm dicke Scheiben schneiden, gründlich waschen, abtropfen lassen
1 Zwiebel	abziehen, fein würfeln
2 Eßl. Speiseöl	in einer großen Pfanne erhitzen, Zwiebelwürfel darin glasig dünsten lassen, den Porree hinzufügen, etwa 15 – 20 Minuten dünsten, erkalten lassen, Blätterteig auf bemehlter Unterlage ausrollen, eine Pie- oder Spring- form (etwa 28 cm Durchmesser) damit auskleiden, den Rand gut andrücken, den Boden mehrmals mit einer Gabel einstechen, den Porree daraufgeben
200 ml Schlagsahne	mit
6 Eiern	verschlagen, mit
Salz	
Pfeffer	
geriebener Muskatnuß	kräftig würzen, über den Porree gießen, die Porreetorte in den Backofen schieben
Ober-/Unterhitze	200 – 220 °C (vorgeheizt)
Heißluft	170 – 180 °C (nicht vorgeheizt)
Gas	Stufe 4 – 5 (vorgeheizt)
Backzeit	30 – 40 Minuten.

Poularde auf Porreesahne

1 küchenfertige Poularde (etwa 1 ¼ kg)	unter fließendem kaltem Wasser abspülen, trockentupfen, in Portionsstücke schneiden, mit
Salz	
1 Eßl. Paprika edelsüß	einreiben
2 Eßl. Butter oder Margarine	zerlassen, die Poulardenteile mit einem Teil des Fettes bestreichen
750 g Porree (Lauch)	putzen, waschen, in feine Scheiben schneiden, evtl. nochmals waschen, gut abtropfen lassen, in dem restlichen Fett andünsten
125 ml (⅛ l) Weißwein	hinzufügen, in eine feuerfeste Form geben, die Poularden- teile daraufgeben, die Form auf dem Rost in den Backofen schieben
Ober-/Unterhitze	etwa 200 °C (vorgeheizt)
Heißluft	etwa 180 °C (nicht vorgeheizt)
Gas	etwa Stufe 3 (vorgeheizt)
Garzeit	etwa 40 Minuten die garen Poulardenteile auf einer vorgewärmten Platte anrichten, warm stellen
150 g Crème fraîche	unter den Porree rühren, mit Salz abschmecken.

Schmor-Porree

(Foto Seite 159)

4 Stangen Porree (Lauch)	putzen, das Grün bis auf 10 cm entfernen, seitlich leicht einritzen, gründlich waschen, abtropfen lassen
500 g pürierte Tomaten	mit
2 Eßl. Gin	
100 g geriebenem Parmesan	
200 g Ricotta (italienischer Frischkäse)	verrühren, mit
Salz	
frisch gemahlenem Pfeffer	würzen
	die Masse in eine gefettete Auflaufform geben, die Porreestangen darübergeben die Form auf dem Rost in die Backofen schieben
Ober-/Unterhizte	200 – 220 °C (vorgeheizt)
Heißluft	180 – 200 °C (nicht vorgeheizt)
Gas	Stufe 4 – 5 (vorgeheizt)
Backzeit	45 – 50 Minuten.

Schnelle Porreesuppe

(Foto Seite 160)

1 Zwiebel	abziehen, fein würfeln
4 Eßl. Olivenöl	in einem Topf erhitzen, die Zwiebelwürfel darin andünsten
2 Stangen Porree (Lauch)	putzen, waschen, in dünne Streifen schneiden, zu den Zwiebeln geben, kurz mitdünsten
250 g Kartoffeln	schälen, waschen, grob würfeln, zu dem Gemüse geben, mitdünsten
500 ml (½ l) Fleischbrühe	hinzugießen, zum Kochen bringen, mit
Salz	
frisch gemahlenem Pfeffer	
gerebeltem Thymian	
geriebener Muskatnuß	würzen, bei mäßiger Hitze 20 – 25 Minuten köcheln lassen die Porreesuppe mit dem Pürierstab oder im Mixer pürieren, noch einmal in einem Topf erhitzen
1 Becher (150 g) Crème fraîche	mit
2 Eigelben	verrühren, die Suppe damit abziehen (nicht mehr kochen lassen) die Suppe nochmals mit den Gewürzen kräftig abschmecken.

Schweinecurry mit Porree

500 g Schweinefilet	unter fließendem kaltem Wasser abspülen, trockentupfen, zuerst in Scheiben, dann in Streifen schneiden
2 – 3 Zwiebeln (etwa 125 g)	abziehen, halbieren, in Scheiben schneiden
1 gelbe Paprikaschote	halbieren, entstielen, entkernen, die weißen Scheidewände entfernen, die Schote waschen, in Streifen schneiden
1 kg Porree (Lauch, etwa 10 Stangen)	putzen, das dunkle Grün bis auf etwa 10 cm entfernen, den Porree in Scheiben schneiden, gründlich waschen
4 Eßl. Speiseöl	in einer großen Pfanne erhitzen, Filetstreifen und Zwiebelscheiben darin unter Wenden anbraten
1 gehäuften Eßl. Currypulver	unterrühren, kurz durchbraten lassen (Currypulver darf nicht zu dunkel werden), mit
Salz	würzen
etwa 7 Eßl. Orangensaft	hinzufügen
2 Knoblauchzehen	abziehen
2 Scheiben frische Ingwerwurzel	schälen, beide Zutaten würfeln, zu dem Fleisch geben, etwa 5 Minuten mitschmoren lassen, Paprikastreifen und Porreescheiben hinzufügen, das Schweinecurry in etwa 5 Minuten gar schmoren lassen, mit Salz abschmecken.
Beilage	Reis.

Tomaten-Porree-Salat

(Für 2 Personen)

2 Stangen Porree (Lauch, etwa 300 g)	putzen, das dunkle Grün bis auf etwa 10 cm entfernen, Porree in Ringe schneiden, gründlich waschen, in
wenig kochendes Salzwasser	geben, zum Kochen bringen, in 6 – 8 Minuten gar dünsten, abtropfen, erkalten lassen
3 Tomaten	kurze Zeit in kochendes Wasser legen (nicht kochen lassen), in kaltem Wasser abschrecken, enthäuten, die Stengelansätze entfernen, die Tomaten in Achtel oder Scheiben schneiden
1 Zwiebel	abziehen, in Scheiben schneiden, in Ringe teilen

133

Für die Salatsauce

3 Eßl. Salatöl	mit
1 Eßl. Essig	
½ Teel. Senf	
Salz	
frisch gemahlenem Pfeffer	
Zucker	verrühren
1 hartgekochtes Ei	pellen, das Eigelb und das Eiweiß getrennt hacken, das Eigelb unter die Salatsauce heben, die Salatsauce über die Salatzutaten geben, das Eiweiß über den Salat streuen.

Tomatensuppe mit Porree

(Für 6 Portionen)

125 g Langkornreis	in
1 l kochendes Salzwasser	geben, zum Kochen bringen, 12 – 15 Minuten kochen lassen, den garen Reis auf ein Sieb geben, mit kaltem Wasser übergießen, abtropfen lassen
2 – 3 Stangen Porree (Lauch, etwa 375 g)	putzen, längs halbieren, in feine Streifen schneiden, waschen
2 mittelgroße Zwiebeln	abziehen
100 g durchwachsener Speck	beide Zutaten in Würfel schneiden
750 g Tomaten	kurze Zeit in kochendes Wasser legen (nicht kochen lassen), in kaltem Wasser abschrecken, enthäuten, die Stengelansätze herausschneiden, die Tomaten in Scheiben schneiden
50 g Butter oder Margarine	zerlassen, Speck- und Zwiebelwürfel darin glasig dünsten lassen, Porreestreifen und Tomatenscheiben hinzufügen, etwa 10 Minuten darin dünsten lassen
1 ½ l heiße Fleischbrühe	hinzugießen, zum Kochen bringen, etwa 20 Minuten kochen lassen
3 schwach gehäufte Eßl. Speisestärke	mit
4 Eßl. kalter Milch	anrühren, die Suppe damit binden, mit
Salz	abschmecken
1 Eßl. Tomatenmark	
2 Eßl. Portwein	unterrühren
2 Eigelb	mit
5 Eßl. Schlagsahne	verschlagen, unter die Suppe rühren, den Reis hineingeben, mitherhitzen.

Kohlrabisalat mit grünem Pfeffer

**2 frische Kohlrabi-
knollen** putzen, schälen, waschen, in Stifte schneiden, blanchieren, in kaltem Wasser abschrecken, gut abtropfen lassen.

Für die Salatsauce

**1 Eßl. saure Sahne
(30 % Fett)** mit
**1 Eßl. Delikateß-
Mayonnaise
1 Eßl. Joghurt
1 Eßl. Zitronensaft** zu einer cremigen Sauce verrühren
**1 Bund gehackten Dill
1 Teel. grünen Pfeffer** unterrühren, mit
**Salz
Zucker** würzen, mit den Kohlrabistifen vermengen, etwa 15 Minuten ziehen lassen

**1 dicke Scheibe
gekochten Schinken
(etwa 50 g)** in dünne Streifen schneiden, mit
Dillspitzen über den Salat streuen.

Kohlrabitopf

Etwa 1 kg Kohlrabi putzen, schälen, waschen, in Stifte schneiden
40 g Butter zerlassen, die Kohlrabistifte darin andünsten
**125 ml (⅛ l) Gemüse-
brühe** hinzufügen, zum Kochen bringen, in 15 – 20 Minuten gar kochen, die Kohlrabi abtropfen lassen, das Kochwasser auffangen, mit
125 ml (⅛ l) Milch dazugeben.

Für die Sauce
1 kleine Zwiebel abziehen, würfeln
**30 g Butter oder
Margarine** zerlassen, die Zwiebelwürfel,
25 g Weizenmehl unter Rühren so lange darin erhitzen, bis die Zwiebel hellgelb ist, das Kochwasser mit der Milch hinzugießen mit einem Schneebesen durchschlagen, die Sauce zum Kochen bringen, etwa 5 Minuten kochen lassen

**375 g Gehacktes
(halb Rind-, halb
Schweinefleisch)** mit
1 Ei vermengen, mit

Salz	
frisch gemahlenem	
Pfeffer	
geriebener Muskatnuß	abschmecken, mit der Sauce vermengen, Kohlrabi, Hackfleisch und Sauce abwechselnd in den gewässerten Römertopf geben, mit
40 g geriebenem Gouda	bestreuen, mit
30 g Butter	in Flöckchen belegen, den Römertopf mit dem Deckel verschließen, in den kalten Backofen schieben
Ober-/Unterhitze	200 – 220 °C
Heißluft	180 – 200 °C
Gas	Stufe 4 – 5
Garzeit	45 – 55 Minuten.

Krebsragout in jungen Kohlrabi

4 junge Kohlrabi	schälen, dabei die jungen Herzblätter nicht abschneiden, je einen Deckel von den Kohlrabi abschneiden, die Knolle aushöhlen, das Fruchtfleisch in feine Würfel schneiden, die ausgehöhlte Frucht und den Deckel mit den Herzblättern in
Salzwasser	etwa 5 Minuten blanchieren, auf ein Sieb geben, gut abtropfen lassen
12 gekochte Krebse	ausbrechen, das Fleisch vorsichtig herausnehmen, so daß es unbeschädigt bleibt
4 Eßl. Butter	in einer Pfanne erhitzen
2 Eßl. feine Möhren-würfel	
2 Eßl. feine Porreewürfel	
2 Eßl. feine Zucchini-würfel	
2 Eßl. feine Fenchel-würfel	darin andünsten, mit
200 ml Riesling	ablöschen, mit
200 ml Gemüsebrühe	
200 ml Schlagsahne	zu einer cremigen Konsistenz einkochen lassen, mit
Salz	
frisch gemahlenem	
Pfeffer	
2 Eßl. gehacktem Dill	würzen, das Krebsfleisch darin erhitzen, die Kohlrabi mit
Speiseöl	einpinseln, im Backofen erwärmen
Ober-/Unterhitze	180 – 200 °C (vorgeheizt)
Heißluft	160 – 180 °C (nicht vorgeheizt)
Gas	Stufe 3 – 4 (vorgeheizt)
Garzeit	5 Minuten
	das Krebsragout in die ausgehöhlten Kohlrabi füllen, den Deckel mit den Blättchen schräg daraufsetzen, mit je
1 Dillzweig	garnieren, sofort servieren.

Frühlingscocktail „Favoritin", Rezept Seite 84

Erbsen mit Frühlingszwiebeln, Rezept Seite 101

Zarte Zuckerschoten, Rezept Seite 108

Hähnchenauflauf mit Zuckerschoten und Zucchini in Kräuter-Käse-Creme, Rezept S. 110

Kohlrabi in Käse-Sauce

1 ½ kg Kohlrabi	schälen, waschen, halbieren, in Stücke schneiden (die kleinen Herzblätter waschen, in feine Streifen schneiden)
2 Eßl. Butter oder Margarine	zerlassen, die Kohlrabi darin andünsten
250 ml (¼ l) Instant-Fleisch- oder Gemüsebrühe	hinzufügen, in etwa 10 Minuten gar kochen, abtropfen lassen, die Gemüseflüssigkeit auffangen, mit Wasser auf 375 ml (⅜ l) auffüllen.

Für die Sauce

30 g Butter oder Margarine	zerlassen
35 g Weizenmehl	darin hellgelb dünsten lassen
375 ml (⅜ l) Gemüseflüssigkeit	hinzugießen, mit einem Schneebesen durchschlagen, darauf achten, daß keine Klumpen entstehen, die Sauce zum Kochen bringen, etwa 5 Minuten kochen lassen
2 Ecken Schmelzkäse	hinzufügen, die Sauce erhitzen, gut verrühren, bis der Käse geschmolzen ist, die Kohlrabi in die Sauce geben, miterhitzen
1 Eßl. gehackte Kräuter z. B. Kerbel, Estragon, Petersilie	mit den feingeschnittenen Kohlrabiblättern hinzufügen.
Beilage	Gekochter Schinken, Butterkartoffeln oder Kräuterkartoffeln.

Kohlrabi in Kresse-Creme

Etwa 1 kg Kohlrabi (mit Herzblättchen)	schälen, waschen, in dünne Stifte schneiden (die Blättchen in feine Streifen schneiden, zurückbehalten), die Kohlrabi in
wenig kochendes Salzwasser	geben, zum Kochen bringen, in 8 – 10 Minuten gar dünsten, abtropfen lassen, warm stellen.

Für die Kresse-Creme

1 Becher (150 g) Crème fraîche	erhitzen
3 Eßl. gehackte Kresseblättchen	unterrühren, mit
Salz Pfeffer geriebener Muskatnuß Zitronensaft	würzen, Kohlrabistifte und -blättchen hinzufügen, kurz erhitzen, evtl. nochmals abschmecken.

Kohlrabi mit Pilzfüllung

4 große Kohlrabi (800 g)	schälen, in
100 ml Wasser	etwa 20 Minuten garen, Knollen quer halbieren, aushöhlen, Kohlrabiinneres kleinhacken,
1 Zwiebel	abziehen, in feine Würfel schneiden, in
2 Teel. Speiseöl	glasig dünsten,
250 g kleine Champignons oder Stockschwämmchen	putzen, mit Küchenpapier abreiben, in Scheiben schneiden, Pilze und Kohlrabiinneres zur Zwiebel geben, mit
frisch gemahlenem Pfeffer	
Saft von ½ Zitrone	abschmecken, garen
½ Bund Petersilie	abspülen, trockentupfen, Blättchen von den Stengeln zupfen, fein hacken
1 Ei	
50 g Crème fraîche	untermischen, Füllung in die Kohlrabihälften füllen, Kohlrabi nebeneinander in eine Auflaufform setzen,
100 ml Gemüsebrühe	dazwischengießen, die Form zugedeckt auf dem Rost in den Backofen schieben
Ober-/Unterhitze	etwa 200 °C (vorgeheizt)
Heißluft	etwa 180 °C (nicht vorgeheizt)
Gas	etwa Stufe 3 (vorgeheizt)
Backzeit	etwa 30 Minuten.

Kohlrabigemüse mit Frühlingsquark

1 kg Kohlrabi	putzen, schälen, waschen, in Würfel schneiden, in
250 ml (¼ l) kochendes Salzwasser	geben, zum Kochen bringen, etwa 15 Minuten kochen, abtropfen lassen
1 Pck. (200 g) Frühlingsquark	mit
2 Eigelben	gut verrühren, die Kohlrabiwürfel
3 – 4 Eßl. gemischte, gehackte Kräuter	unterrühren, das Gemüse kurz erhitzen, sofort servieren.
Beilage	Spiegeleier mit Schinken, Pellkartoffeln.

Kohlrabi-Kartoffel-Gratin

Von

**3 – 4 kleinen Kohlrabi
(etwa 500 g)** die Blätter entfernen, die Kohlrabi schälen, waschen
500 g Kartoffeln schälen, waschen
3 – 4 Zwiebeln abziehen, die 3 Zutaten in dünne Scheiben schneiden
**150 g Salami
(in Scheiben)** in Streifen schneiden, eine flache Auflaufform ausfetten, die Zutaten abwechselnd einschichten (die untere und die obere Schicht sollten aus Kartoffelscheiben bestehen), Kohlrabi- und Kartoffelschichten jeweils mit etwas von

**200 g geriebenem
Emmentaler Käse** bestreuen, mit
Salz
Pfeffer würzen
250 ml (¼ l) Milch mit
**125 ml (⅛ l) Schlagsahne
2 Eiern** verschlagen, mit Salz,
Paprika edelsüß würzen, über den Auflauf gießen, den restlichen Käse mit
2 – 3 Eßl. Semmelbröseln vermengen, über den Auflauf streuen
1 – 2 Eßl. Butter zerlassen, darüberträufeln, die Form auf dem Rost in den Backofen schieben, den Auflauf nach etwa der Hälfte der Garzeit mit Pergamentpapier oder mit Alufolie abdecken, damit er nicht zu dunkel wird

Ober-/Unterhitze etwa 200 °C (vorgeheizt)
Heißluft etwa 180 °C (nicht vorgeheizt)
Gas etwa Stufe 4 (vorgeheizt)
Backzeit etwa 45 Minuten.

Kohlrabi-Kartoffel-Gratin mit Sonnenblumenkernkruste

**80 g Sonnenblumen-
kerne** in einer trockenen Pfanne rösten, 3 Eßlöffel beiseite stellen
**150 g geriebenen,
mittelalten Gouda
2 Scheiben Vollkornbrot** im Mixer zerkleinern, die Sonnenblumenkerne und die Vollkornbrotbrösel mit 4 Eßlöffel Käse mischen
150 g Zwiebeln abziehen, grob würfeln, in
30 g Butter glasig dünsten
500 g Kohlrabi putzen, schälen, zarte Kohlrabiblättchen aufbewahren
500 g Kartoffeln unter fließendem kaltem Wasser gut bürsten, wenn nötig, fein schälen, Kohlrabi und Kartoffeln grob raspeln, mit den Zwiebeln und dem restlichen Käse mischen

2 Bund Kerbel (ersatzweise Petersilie oder einige Liebstöckel-blätter)	unter fließendem kaltem Wasser abspülen, trockentupfen, mit den Kohlrabiblättchen fein hacken, unter die Kartoffel-masse mischen mit
Salz Curry Muskatnuß Pfeffer	kräftig würzen, die Masse in eine Auflaufform füllen
4 Eßl. Joghurt 150 ml Schlagsahne 2 Eier	die drei Zutaten verrühren, mit Salz, Pfeffer und Muskatnuß würzen, über den Auflauf gießen, die Brösel-mischung darüber verteilen, mit den restlichen Sonnen-blumenkernen bestreuen, in den Backofen schieben
Ober-/Unterhitze	etwa 180 °C (vorgeheizt)
Heißluft	etwa 160 °C (nicht vorgeheizt)
Gas	etwa Stufe 3 (vorgeheizt)
Backzeit	etwa 40 Minuten.
Tip	Dazu einen gemischten Blattsalat reichen.

Kohlrabi-Möhren-Eintopf
(2 Portionen)

250 g Möhren	putzen, schälen, waschen, in Scheiben schneiden
250 g Kohlrabi (ohne Grün gewogen)	schälen, waschen, in Streifen schneiden
250 g Kartoffeln	schälen, waschen, in kleine Würfel schneiden
150 g Schweinenacken	waschen, abtrocknen, vom Knochen lösen (diesen nach Belieben mitschmoren), das Fleisch in größere Würfel schneiden
2 Eßl. Butter oder Margarine	erhitzen, das Fleisch darin von allen Seiten anbraten
2 Zwiebeln	abziehen, in Scheiben schneiden, hinzufügen, hellbraun werden lassen, Möhren und Kohlrabi hinzufügen, kurze Zeit miterhitzen, die Kartoffeln
250 ml (¼ l) Wasser Salz Pfeffer	hinzufügen, alles in etwa 25 Minuten gar schmoren lassen, den Eintopf mit Salz, Pfeffer abschmecken
1 Eßl. gehackte Petersilie	hinzufügen.

Kohlrabi-Möhren-Flan

(Foto Seite 177)

500 g Möhren	
500 g Kohlrabi	beide Zutaten putzen, waschen, schälen, in dünne Scheiben hobeln, das Gemüse mit
Sojasauce	
Pfeffer	würzen
1 Stange Porree (Lauch)	putzen, waschen, in dünne Ringe schneiden
2 Knoblauchzehen	abziehen, fein würfeln, Porree, Knoblauch mit
500 g Magerquark	
200 g Schmant	
3 Eßl. gehackter Petersilie	
6 Eßl. Sesamsamen	
½ Teel. Kräutersalz	verrühren, mit
Pfeffer	würzen, in eine gefettete Auflaufform die Hälfte der Möhren und des Kohlrabi legen, die Hälfte der Quarkcreme darauf verstreichen, mit der zweiten Hälfte genauso verfahren, den Auflauf mit
250 ml (¼ l) Milch	begießen, mit
4 Eßl. Sesamsamen	bestreuen, die Auflaufform in den Backofen schieben
Ober-/Unterhitze	etwa 200 °C (vorgeheizt)
Heißluft	etwa 180 °C (nicht vorgeheizt)
Gas	etwa Stufe 3 (vorgeheizt)
Garzeit	etwa 45 Minuten.

Kohlrabi-Radieschen-Salat

4 kleine Kohlrabi	schälen, waschen, grob raspeln
2 – 3 Bund Radieschen	putzen, waschen, in dünne Scheiben schneiden.
	Für die Salatsauce
3 Eßl. Salatöl	mit
4 Eßl. Essig	verschlagen
1 Eßl. gehackte Kräuter	unterrühren, mit
Salz	
Zucker	
frisch gemahlenem weißem Pfeffer	abschmecken, mit den Salatzutaten vermengen, kurz durchziehen lassen, den Salat evtl. mit Salz, Pfeffer, Zucker abschmecken.

145

Kohlrabisalat

500 – 750 g junge Kohlrabi (ohne Grün gewogen)	schälen, waschen, grob raspeln.

Für die Salatsauce

2 schwach gehäufte Eßl. Crème fraîche (30 % Fett)	mit
3 Eßl. Zitronensaft **1 schwach gehäuften Teel. Zucker**	verrühren, mit
Salz	abschmecken
2 Eßl. gehackte Kräuter (Petersilie, Schnittlauch)	unterrühren, die Kohlrabi mit der Sauce vermengen.

Kohlrabicremesuppe

4 – 5 große Kohlrabi	schälen, waschen, die feinen Blättchen aufbewahren, die Kohlrabi in feine Streifen schneiden, in
300 – 400 ml Gemüsebrühe	in etwa 20 Minuten garen, in den Mixer geben oder mit dem Schnellmixstab des Handrührgerätes pürieren, mit
Meersalz **gemahlenem Pfeffer** **wenig Cayennepfeffer** **Hefeextrakt** **geriebener Muskatnuß**	würzen
1 Becher (150 g) Crème fraîche	unterziehen, die Suppe mit dem kleingeschnittenem Kohlrabigrün bestreuen.

Gefüllte Kohlrabi

4 große Kohlrabi mit Grün	putzen, Stiele mit Grün abschneiden, beiseite legen Knollen waschen, von oben her aushöhlen, Kohlrabi in
500 ml (½ l) Wasser	mit
¼ Teel. Salz	in etwa 15 Minuten fast weich dünsten, Stiele von den Blättern abschneiden, zarte Blätter auswählen, waschen, in Streifen schneiden
1 Zwiebel	abziehen, in Würfel schneiden
1 Eßl. Butter	zerlassen, Zwiebel, Blattstreifen, Kohlrabistücke aus dem Inneren fein schneiden, darin etwa 15 Minuten dünsten, mit
Salz	
Pfeffer	
geriebener Muskatnuß	abschmecken, etwas abkühlen lassen, mit
250 g Magerquark	
125 g geriebenem Raclettekäse	vermengen, die Masse in die ausgehöhlten Kohlrabi füllen, in eine gefettete Auflaufform setzen, auf dem Rost in den Backofen schieben
Ober-/Unterhitze	etwa 220 °C (vorgeheizt)
Heißluft	etwa 200 °C (nicht vorgeheizt)
Gas	Stufe 3 – 4 (vorgeheizt)
Backzeit	etwa 20 Minuten.
Beilage	Kartoffeln dazu reichen.

Kohlrabisuppe

(Foto Seite 178)

	Von
3 – 4 Kohlrabi (etwa 1 kg)	die Blätter entfernen, die kleinen Blätter beiseite legen die Kohlrabi schälen, waschen, in Würfel schneiden
2 – 3 Möhren (etwa 250 g)	putzen, schälen, waschen, in Scheiben schneiden
1 Steckrübe (etwa 500 g)	schälen, waschen, in Würfel schneiden
1 Zwiebel	abziehen, würfeln
2 – 3 Eßl. Butter oder Margarine	zerlassen, die Zwiebelwürfel darin glasig dünsten lassen, die Steckrübenwürfel hinzufügen, durchdünsten lassen
1 l Fleischbrühe	hinzugießen, zum Kochen bringen, 5 Minuten kochen lassen Möhrenscheiben und Kohlrabiwürfel mit
1 – 2 Lorbeerblättern	
2 Wacholderbeeren	
etwa 10 schwarzen Pfefferkörnern	hinzufügen, die Suppe zum Kochen bringen
½ Brötchen	in kaltem Wasser einweichen, gut ausdrücken
1 kleine Zwiebel	abziehen, fein würfeln

**350 g Gehacktes
(halb Rind-, halb
Schweinefleisch)** mit der Brötchenhälfte, den Zwiebelwürfeln,
1 Ei gut vermengen, mit
Salz
Pfeffer würzen

aus der Hackfleischmasse Klößchen formen, nach etwa
15 Minuten Garzeit in die Suppe geben, zum Kochen
bringen, die Klößchen in 7 – 10 Minuten darin gar ziehen
lassen, die Suppe mit Salz abschmecken
die zurückgelassenen Kohlrabiblättchen abspülen,
abtropfen lassen, hacken, in die Suppe geben.

Beigabe Roggenbrötchen.

Möhrencremesuppe

400 g Möhren	putzen, schälen, waschen
2 große Kartoffeln (etwa 175 g)	schälen, waschen
1 Stück Sellerieknolle	schälen, waschen
2 – 3 Zwiebeln	abziehen, die vier Zutaten in Würfel schneiden
1 – 2 Eßl. Butter	zerlassen, die Zwiebelwürfel darin andünsten, das Gemüse hinzufügen, durchdünsten lassen
1 l Salzwasser	hinzugießen, mit
Pfeffer	würzen, zum Kochen bringen, etwa 12 Minuten kochen lassen, die Suppe pürieren
½ Becher (75 g) Crème fraîche	unterrühren, die Möhrencremesuppe mit Pfeffer,
Salz	abschmecken
1 Eßl. gehackten Dill	unterrühren, kurz vor dem Servieren
30 g Butter	in Flöckchen auf die Suppe geben.

Möhren-Zwiebel-Eintopf

500 g Zwiebeln	abziehen
500 g Möhren	putzen, schälen, waschen
500 g Kartoffeln	schälen, waschen, die 3 Zutaten in Scheiben schneiden
375 g Gehacktes (halb Rind-, halb Schweinefleisch)	mit
Salz	
Pfeffer	würzen, mit dem Gemüse abwechselnd in den gewässerten Römertopf schichten, die Gemüseschichten mit Salz bestreuen
500 ml (½ l) Instant-Fleischbrühe	hinzugießen, den Römertopf mit dem Deckel verschließen, auf dem Rost in den kalten Backofen stellen
Ober-/Unterhitze	200 – 220 °C
Heißluft	180 – 200 °C
Gas	Stufe 4 – 5
Garzeit	etwa 1 ¼ Stunden, den garen Eintopf mit
gehackter Petersilie	bestreuen.

Möhrensuppe mit Quarkhaube

1 Salatgurke	schälen, halbieren, entkernen
6 mittelgroße Möhren	putzen, schälen, waschen
3 Kartoffeln	schälen, waschen, die drei Zutaten in kleine Würfel schneiden
1 Eßl. Butter	zerlassen, Gurken-, Möhren- und Kartoffelwürfel darin etwa 4 Minuten dünsten lassen
1 l Instant-Fleischbrühe	hinzugießen, mit
Salz	
frisch gemahlenem Pfeffer	würzen, zugedeckt etwa 10 Minuten bei schwacher Hitze kochen lassen, von der Kochstelle nehmen
1 Pck. (200 g) Grünen-Pfeffer-Quark	mit
2 Eiern	gut verrühren, unter die Möhrensuppe rühren
feingehackten Dill	
feingeschnittenen Schnittlauch	unterrühren.

Möhren-Soufflé mit Petersilie

250 – 300 g Möhren	putzen, schälen, waschen, in größere Stücke schneiden, in
wenig Salzwasser	etwa 20 Minuten garen, abtropfen lassen, im Mixer oder mit dem Pürierstab des Handrührgerätes pürieren
2 Eier	trennen
	das Möhrenpüree mit Eigelb,
1 Eßl. Weizenmehl	
5 – 6 Eßl. Schlagsahne	
Salz	
frisch gemahlenem Pfeffer	
grob gemahlenem Koriander	verrühren
	das Eiweiß steif schlagen
1 Bund glatte Petersilie	waschen, die Blättchen von den Stengeln zupfen, die Petersilie fein hacken, unter die Masse heben die Masse in 4 gefettete, feuerfeste Förmchen füllen (bis kurz unter dem Rand) die Förmchen auf dem Rost mit einem mit Wasser gefüllten Gefäß in den Backofen schieben
Ober-/Unterhitze	etwa 200 °C (vorgeheizt)
Heißluft	etwa 180 °C (nicht vorgeheizt)
Gas	etwa Stufe 4 (vorgeheizt)
Backzeit	etwa 25 Minuten.

Möhrensauce

Für den Fischfond

etwa 1 ½ kg
Fischgräten und -köpfe unter fließendem kaltem Wasser gründlich abspülen
1 Bund Suppengrün putzen, waschen, kleinschneiden, beide Zutaten mit
10 Pfefferkörnern
1 Lorbeerblatt
gerebeltem Thymian in
gut 500 ml (½ l)
kaltes Wasser geben, zum Kochen bringen, etwa 45 Minuten schwach kochen lassen, durch ein Sieb gießen, die Flüssigkeit auf etwa 300 ml einkochen lassen
400 g Möhren putzen, schälen, waschen, kleinschneiden, pürieren, zu dem eingekochten Fischfond geben, zum Kochen bringen, 10 – 15 Minuten kochen lassen, durch ein Sieb streichen

1 Becher (150 g)
Crème fraîche unterrühren, die Sauce auf die Hälfte einkochen lassen, mit
Salz
frisch gemahlenem
Pfeffer abschmecken, kurz vor dem Servieren
1 Eßl. Butter in die Möhrensauce geben, gut verrühren.
Tip Möhrensauce zu feinen Fischgerichten reichen.

Möhren-Sellerie-Salat

375 g gekochte
Selleriescheiben in Streifen schneiden
500 g Möhren putzen, schälen, waschen, raspeln.

Für die Salatsauce

1 Becher (150 g)
saure Sahne mit
1 Eßl. Salatöl verrühren, mit
Salz
frisch gemahlenem
Pfeffer
Zucker abschmecken, die Salatzutaten mit der Sauce vermengen den Salat gut durchziehen lassen, mit
2 Eßl. gehackter
Petersilie bestreuen.

Möhren-Apfel-Rohkost

Für die Marinade

1 Becher (200 g) saure Sahne	verrühren, mit dem
Saft von 1 Zitrone	
frisch gemahlenem Pfeffer	würzen
40 g abgezogene gehackte Mandeln	ohne Fettzugabe in einer Pfanne rösten
2 säuerliche Äpfel	waschen, vierteln, das Kerngehäuse herausschneiden
250 g Möhren	putzen, schälen, waschen
	Äpfel und Möhren grob raspeln
	die Mandeln und die geraspelten Zutaten unter die Marinade mischen, abschmecken.

Möhren-Apfel-Salat

3 große Möhren	putzen, schälen, waschen
3 Äpfel	schälen, halbieren, entkernen, beide Zutaten grob raspeln, mit
2 Eßl. grobgehackten Walnußkernen	
1 Pck. (200 g) Meerrettich-Quark	vermengen, mit
Salz	
frisch gemahlenem Pfeffer	
Zucker	würzen, auf
gewaschenen Salatblättern	anrichten, mit
Kresseblättchen	bestreut servieren.

Möhren-Bohnen-Eintopf

100 g Weiße Bohnen	waschen, in
750 ml (³/₄ l) Wasser	12 – 24 Stunden einweichen, in dem Einweichwasser zum Kochen bringen, in etwa 1 Stunde gar kochen lassen
375 g Schweinebauch (ohne Knochen)	waschen, abtrocknen, in kleine Würfel schneiden
1 kg Möhren	putzen, schälen
500 g Kartoffeln	schälen, beide Zutaten waschen, in kleine Würfel schneiden
250 g Äpfel	schälen, vierteln, entkernen, in Scheiben schneiden
40 g Margarine	erhitzen, das Fleisch unter Wenden schwach darin bräunen
2 mittelgroße Zwiebeln	abziehen, würfeln, kurz bevor das Fleisch genügend gebräunt ist, die Zwiebeln hinzufügen, kurz miterhitzen das Fleisch mit
Salz	würzen, Möhren, Kartoffeln, Äpfel,
375 ml (³/₈ l) Wasser	hinzufügen, in 45 – 60 Minuten gar schmoren lassen, die Bohnen (ohne Flüssgkeit) unter den Möhren-Eintopf geben, mit
2 Eßl. gehackter Petersilie	bestreuen.
Veränderung	Anstelle des Schweinebauchs Rindfleisch verwenden.

Möhren-Kartoffel-Gratin

400 g Kartoffeln	waschen, in Wasser zum Kochen bringen, gar kochen lassen, abgießen, pellen
400 g Möhren	putzen, schälen, waschen, in Wasser zum Kochen bringen, gar kochen lassen, abgießen, beide Zutaten mit dem Buntmesser in Scheiben schneiden, eine flache Auflaufform mit
Butter	ausfetten, Möhren- und Kartoffelscheiben abwechselnd in die Auflaufform schichten, aus
1 Becher (150 g) saurer Sahne	
75 ml Milch	
100 g vegetarischer Pastete	
50 g geriebenem Käse	
Meersalz	
geriebener Muskatnuß	
körniger Hefewürze	
1 Bund gehackter Petersilie	eine Sauce zubereiten, über das Kartoffel-Möhren-Gemisch geben, die Auflaufform auf dem Rost in den Backofen schieben
Ober-/Unterhitze	200 – 220 °C (vorgeheizt)
Heißluft	180 – 200 °C (nicht vorgeheizt)
Gas	Stufe 3 – 4 (vorgeheizt)
Backzeit	15 – 20 Minuten.

Möhren-Kartoffelbrei

750 g Möhren	putzen, schälen, waschen, in Würfel schneiden
375 – 500 g Kartoffeln	schälen, waschen, in Würfel schneiden, beide Zutaten in
Salzwasser	geben, zum Kochen bringen, in 10 – 15 Minuten gar kochen, abtropfen lassen, pürieren
½ – 1 Becher (75 – 150 g) Crème fraîche	unterrühren, gut durchschlagen, den Möhren-Kartoffelbrei mit
Salz frisch gemahlenem Pfeffer geriebener Muskatnuß	würzen
2 Eßl. gehackte Petersilie	unterrühren.

Möhren-Lamm-Eintopf

500 g Lammfleisch (ohne Knochen)	unter fließendem kaltem Wasser abspülen, abtrocknen, in kleine Würfel schneiden
2 Eßl. Speiseöl	erhitzen, das Fleisch von allen Seiten gut darin anbraten
250 g Möhren	putzen, schälen, waschen, kleinschneiden
2 Knoblauchzehen	abziehen, zerdrücken, beide Zutaten zu dem Fleisch geben, kurz andünsten
500 ml (½ l) Instant-Fleischbrühe	hinzugießen, zum Kochen bringen, mit
gehackten Oregano-blättchen gehackten Basilikum-blättchen gehackten Salbei-blättchen gehackten Rosmarin-blättchen	würzen, den Eintopf in etwa 50 Minuten gar kochen lassen
150 g gekochten Langkornreis	unterrühren, miterhitzen, mit
feingehackter Petersilie	bestreut servieren.

Möhren-Mairüben-Rohkost

400 g Möhren **300 g Mairüben** **1 Eßl. gehacktem Dill** **1 Eßl. feingeschnittenem Schnittlauch**	beide Zutaten putzen, schälen, waschen, grob raspeln, mit vermengen.

Für die Sauce

2 Eßl. Salatöl **2 Eßl. Kräuteressig** **Salz** **frisch gemahlenem** **Pfeffer**	mit verrühren, die Sauce mit den geraspelten Wurzeln vermengen, kurz durchziehen lassen, mit Salz, Pfeffer abschmecken, eine Schüssel mit
gewaschenen **Salatblättern** **Dillzweigen**	auslegen, die Rohkost daraufgeben, mit garnieren.

Möhren mit Salbeibutter

(Für 2 Portionen)

400 g vorbereitete Möhren	schälen, in gleich große, etwa 5 cm lange Stifte schneiden
1 Zwiebel	abziehen, halbieren, in Würfel schneiden
1 Teel. Speiseöl	erhitzen, die Zwiebelwürfel darin glasig dünsten, die Möhren hinzufügen
etwas Wasser **frisch gemahlenem** **Pfeffer** **Salz**	hinzufügen, mit würzen, zugedeckt bei schwacher Hitze etwa 15 Minuten dünsten lassen
5 – 6 frische Salbei- **blättchen**	abspülen, trockentupfen, in feine Streifen schneiden Salbeiblättchen und
1 ½ Eßl. Butter	vor dem Servieren untermischen.

155

Möhren mit Kerbel

750 g kleine, junge Möhren	putzen, schälen, waschen
1 Zwiebel	abziehen, würfeln
50 g Butter	zerlassen, die Zwiebelwürfel darin glasig dünsten lassen, die Möhren mit
etwas Wasser	hinzufügen, mit
Salz	
Pfeffer	würzen, zum Kochen bringen, in etwa 10 Minuten gar dünsten lassen, mit
2 – 3 Eßl. gehackten Kerbelblättchen	bestreuen.

Mini-Omelett mit Möhrenquark

5 Eier	in eine Schüssel schlagen, mit
4 Eßl. Milch	verquirlen, mit
¼ Teel. Meersalz	
¼ Teel. schwarzem Pfeffer	
1 Prise Cayennepfeffer	
¼ Teel. Thymian	würzen, in einer Pfanne mit 15 cm Durchmesser in
4 Eßl. Butter	vier kleine Omeletts backen, warm stellen
100 g Möhren	putzen, schälen, waschen, fein raspeln
1 kleine Zwiebel	abziehen, fein hacken, mit den Möhrenraspeln
300 g Magerquark	
3 Eßl. Zitronensaft	
½ Eßl. Salz	
¼ Eßl. schwarzem Pfeffer	gleichmäßig verrühren, die Omeletts auf vier Tellern verteilen, je einen Klacks Quark in die Mitte setzen und zusammenklappen, mit
einigen Petersilien blättern	garnieren.

Porree, Rezept Seite 111

Gratinierte Porreesuppe, Rezept Seite 125

Schmorporree, Rezept Seite 132

Schnelle Porreesuppe, Rezept Seite 132

Glasierte Möhren

	Von
1 ½ kg jungen Möhren	das Grün bis auf etwa 1 cm und die Wurzelenden abschneiden, die Möhren schälen, waschen, in
kochendes Salzwasser	geben, zum Kochen bringen, etwa 7 Minuten kochen, abtropfen lassen
125 g Butter	zerlassen, die Möhren einige Minuten andünsten lassen
5 Eßl. Zucker	hinzufügen, die Möhren unter Rühren in etwa 10 Minuten gar dünsten lassen, mit
frisch gemahlenem Pfeffer gehackten Minzeblättchen	bestreuen.

Gedünstetes Möhrengemüse

750 g Möhren	putzen, schälen, waschen, in Würfel schneiden
etwa 50 g Butter	zerlassen, die Möhrenwürfel hineingeben, durchdünsten lassen, mit
Salz Pfeffer	würzen
125 ml (⅛ l) Wasser	hinzugießen, die Möhrenwürfel zugedeckt in etwa 10 Minuten gar dünsten lassen, ab und zu umrühren, evtl. nochmals mit Salz, Pfeffer abschmecken
4 Eßl. gehackte Petersilie	unterrühren.

Birnen-Möhren-Puten-Salat

	Den Saft von
1 Zitrone	mit
1 Eßl. flüssigen Honig	
1 Msp. Cayennepfeffer	
2 Eßl. Sojasauce	
4 Eßl. Sojaöl	zu einer Salatsauce verrühren
2 kleine feste Birnen (200 g)	waschen, das Kerngehäuse entfernen, die Birnen in Stücke schneiden, gleich mit der Sauce vermengen
200 g Möhren	schälen, waschen, grob raspeln
200 g Chinakohl	waschen, in feine Streifen schneiden
250 g geräuchertes Putenbrustfleisch	in Streifen schneiden, alle Zutaten vermengen
2 Eßl. Sesamsamen	in
etwas Butter (5 g)	anrösten, warm unter den Salat heben, sofort servieren.

Eingelegte Möhren

400 g Möhren	putzen, schälen, waschen, längs in regelmäßigen Abständen 4 – 5 Vertiefungen ausschneiden, die Möhren in Scheiben schneiden (danach entsteht eine Blütenform), die Möhrenscheiben mit den entstandenen ausgeschnittenen Möhrenstreifen in einen Kochtopf geben
200 g sehr kleine Champignons	putzen, waschen, abtropfen lassen, mit dem
Saft von 1 Zitrone	zu den Möhren geben
1 Bund Frühlings-zwiebeln	putzen, waschen, längs halbieren.

Für die Essig-Lösung

250 ml (¼ l) Rotwein-Essig	mit
2 Eßl. Zucker	
125 ml (⅛ l) Wasser	
2 Teel. weißen Pfefferkörnern	
1 Teel. Fenchelsamen	
3 Salbeiblättchen	
1 – 2 Lorbeerblättern	
Salz	zum Kochen bringen, Möhrenscheiben und Champignons hinzufügen, zum Kochen bringen, etwa 8 Minuten ziehen lassen, von der Kochstelle nehmen, Möhrenscheiben und Champignons zusammen mit den Frühlingszwiebeln in vorbereitete Gläser füllen, die Flüssigkeit nochmals zum Kochen bringen, von der Kochstelle nehmen
1 Pck. Einmach-Hilfe	unterrühren, über das Gemüse gießen, die Gläser nach dem Erkalten verschließen.

Teltower Rübchen und Möhrchen
(Foto Seite 179)

500 g Teltower Rübchen **500 g Möhren**	das Gemüse putzen, mit einem Sparschäler schälen, waschen, in Scheiben schneiden, Rübchen vorher halbieren
50 g Butter	zerlassen
50 g Zucker	darin unter Rühren karamelisieren lassen, das Gemüse dazugeben, durchrühren, in etwa 8 – 10 Minuten gar dünsten lassen, mit
1 Eßl. gehackter Petersilie	bestreuen.

Möhren-Orangen-Rohkost

500 g Möhren	putzen, schälen, in Streifen schneiden, von
3 Orangen	die Schale mit der weißen Haut wegschneiden, die Filets mit einem scharfen Messer einzeln herausschneiden, aus dem Rest den Saft gut herausdrücken und über die Möhren geben, die Orangenfilets,
1 Eßl. Lindenblüten Honig	
60 g grob gehackte Haselnußkerne	untermischen
1 Bund Zitronenmelisse	waschen, fein schneiden, die Rohkost damit bestreuen, servieren.

Möhren-Rohkost

500 g Möhren	schälen, waschen, fein raspeln, mit
3 Eßl. Zitronensaft	mischen
1 – 2 Äpfel (z. B. Golden Delicious)	schälen, bis zum Kerngehäuse abraspeln, mit den Möhren vermengen
1 – 2 Eßl. Speiseöl	unterrühren, mit
Salz	
Zucker	abschmecken.

Fenchel-Möhren-Gemüse

(Für 2 Portionen)

350 g Fenchelknollen	putzen, das Fenchelgrün zurückbehalten, die Knollen quer halbieren, waschen die Fenchelhälften der Länge nach sechsteln
150 g Möhren	putzen, schälen, der Länge nach halbieren, in Scheiben schneiden
1 Zwiebel	abziehen, halbieren, in feine Würfel schneiden
1 Eßl. Speiseöl	erhitzen Zwiebelwürfel und Möhrenscheiben darin andünsten, die Fenchelstücke hinzufügen
125 ml (⅛ l) Wasser	dazugießen, mit
frisch gemahlenem Pfeffer	
Salz	würzen, zum Kochen bringen, zugedeckt bei schwacher Hitze etwa 15 Minuten dünsten lassen das Fenchelgrün waschen, kleine Stengel entfernen das Grün fein schneiden, unter das Gemüse mischen, evtl. mit Salz und Pfeffer abschmecken.

Reis-Möhren-Suppe mit Limonen

1 kleine Zwiebel	abziehen, fein würfeln
2 Eßl. Butter	erhitzen, Zwiebelwürfel darin glasig dünsten
100 g Langkornreis	einstreuen, gut verrühren, kurz andünsten, mit
1 l Gemüsebrühe	aufgießen, aufkochen lassen, in etwa 20 Minuten gar kochen, mit
1 Teel. Salz	
geriebener Muskatnuß	würzen
150 g Möhren	putzen, schälen, waschen, würfeln, in die Suppe streuen, etwa 5 Minuten weiterkochen
2 Limonen	auspressen, den Saft in die Suppe gießen
3 Eßl. Crème fraîche	einrühren, aufkochen lassen
1 Limone (unbehandelt)	abspülen, in Scheiben schneiden, die Suppe in vier Teller füllen, mit den Limonenscheiben garnieren.

Sahne-Möhren

1 kg kleine, junge Möhren	putzen, schälen, waschen
1 Zwiebel	abziehen, würfeln
3 Eßl. Butter	zerlassen, die Zwiebelwürfel und die Möhren darin andünsten
knapp 250 ml (¼ l) Fleischbrühe	hinzugießen, das Gemüse in 10 – 15 Minuten gar dünsten, abtropfen lassen, die Gemüse-Flüssigkeit auffangen
4 Eßl. Crème fraîche	unterrühren, etwas einkochen lassen
1 – 2 Eßl. Kapern	hinzufügen, die Sauce mit
Salz	
frisch gemahlenem Pfeffer	
Zucker	
Zitronensaft	abschmecken
2 Eßl. gemischte, gehackte Kräuter, z. B. Kerbel, Petersilie, Kresse	unterrühren, die Möhren in der Sauce erhitzen,
1 hartgekochtes Ei	pellen, kleinhacken, über das Gemüse streuen.
Tip	Rohen Schinken und Kräuter-Kartoffeln dazu reichen.

Raukesuppe mit Möhrenklößchen

Für die Möhrenklößchen

300 g Möhren putzen, schälen, waschen, vierteln, mit
20 g Butter
1 Eßl. Zucker
Salz
100 ml Wasser in einen Topf geben, zugedeckt 20 Minuten garen, durch ein Sieb streichen, mit

1 Eigelb
2 Eßl. Weizen-vollkornmehl
3 Eßl. Semmelbröseln
1 Eßl. Quark mischen, mit
Salz
Zucker abschmecken, zu einer homogenen Masse verarbeiten
1 Eßl. gehackte Petersilie daruntermischen, anschließend mit einem Löffel kleine Klößchen abstechen, diese in
1 l heiße Gemüsebrühe geben (die Brühe darf nicht kochen), die Klößchen garen lassen.

Für die Suppe

1 Bund Rauke putzen, waschen, abtropfen lassen, in feine Streifen schneiden
40 g Butter in einem Topf erhitzen
1 Zwiebel abziehen, fein hacken, in der Butter andünsten, mit
500 ml (½ l) Gemüse-brühe
500 ml (½ l) Buttermilch auffüllen, unter Rühren erhitzen, die Rauke dazugeben, kurz mit dem Schneidestab pürieren, in Suppentassen mit den Möhrenklößchen servieren.

Zucchini-Möhren-Gemüse

500 g Möhren putzen, schälen, waschen, in sehr dünne Scheiben schneiden
500 g junge, feste Zucchini waschen, ungeschält ebenfalls in Scheiben schneiden
40 g Butter
4 Eßl. Zitronensaft in einen Topf geben, Möhren- und Zucchinischeiben hineingeben, mit
Salz
frisch gemahlenem Pfeffer würzen, zugedeckt bei mittlerer Hitze etwa 15 Minuten dünsten, mit
gehacktem Dill bestreuen.

Kartoffel-Porree-Suppe

600 g Kartoffeln	schälen, waschen, würfeln
2 Stangen Porree	
(Lauch, 300 g)	putzen, waschen, in dünne Ringe schneiden
1 Petersilienwurzel	
1 Möhre	putzen, schälen, waschen, in Würfel schneiden, 1 Eßlöffel beiseite stellen
1 Eßl. Olivenöl	in einem Topf erhitzen, das Gemüse darin andünsten, mit
1 ½ l Gemüsebrühe	aufgießen, etwa 40 Minuten köcheln lassen, mit einem Pürierstab oder im Mixer pürieren, kalt stellen, vor dem Servieren
250 ml (¼ l) Schlagsahne	unterziehen, mit kleinen Möhrenwürfeln und
2 Eßl. Schnittlauch-	
röllchen	bestreuen. Eiskalt servieren.
Tip	Dazu paßt Roggenbaguette.

Kartoffel-Möhren-Gemüse
(Für 2 Portionen)

200 g Möhren	putzen, schälen, waschen
400 g mehligkochende	
Kartoffeln	schälen, waschen
	beide Zutaten in 1 cm große Würfel schneiden
	die geschnittenen Zutaten mit
125 ml (⅛ l) Wasser	
1 Lorbeerblatt	
3 – 4 Liebstöckelblättern	zum Kochen bringen, mit
geriebener Muskatnuß	
frisch gemahlenem	
Pfeffer	würzen, bei schwacher Hitze etwa 15 Minuten dünsten lassen (das Gemüse soll noch bißfest sein) das Lorbeerblatt und die Liebstöckelblätter aus dem gegarten Gemüse entfernen
2 Eßl. gehackte Petersilie	
½ Eßl. saure Sahne	
1 Eßl. Butter	untermischen, mit
Salz	abschmecken und sofort servieren.

Kartoffel-Porree-Auflauf

1 Brötchen (Semmel)	in kaltem Wasser einweichen
1 mittelgroße Zwiebel	abziehen, fein würfeln
500 g Hackfleisch (halb Rind-, halb Schweinefleisch)	mit dem gut ausgedrückten Brötchen, den Zwiebelwürfeln vermengen, mit
Salz	
Pfeffer	abschmecken
300 g Porree (vorbereitet gewogen)	putzen, in Scheiben schneiden, waschen, abtropfen lassen die Hälfte aus
1 Pck. (450 g) Brat-kartoffeln, tiefgekühlt	in eine gefettete Auflaufform geben, die Porreescheiben daraufgeben, mit Salz,
gerebeltem Oregano	würzen, das Fleisch darauf verteilen, mit den restlichen Kartoffelscheiben bedecken, mit Salz, Oregano würzen
250 ml (¼ l) Instant-Fleischbrühe	mit
1 Eßl. Tomatenmark	verrühren, über die Zutaten gießen, die Auflaufform auf dem Rost zugedeckt in den Backofen schieben
Ober-/Unterhitze	180 – 200 °C (vorgeheizt)
Heißluft	160 – 180 °C (nicht vorgeheizt)
Gas	Stufe 3 – 4 (vorgeheizt)
Backzeit	etwa 1 Stunde.

Kartoffelauflauf mit Hackfleisch und Porree

750 g Kartoffeln	waschen, in so viel
Salzwasser	zum Kochen bringen, daß die Kartoffeln bedeckt sind, in 20 – 25 Minuten gar kochen lassen, abgießen, abdämpfen, heiß pellen, erkalten lassen, in Scheiben schneiden
4 Stangen Porree (Lauch, etwa 500 g)	putzen, das dunkle Grün bis auf etwa 10 cm entfernen, den Porree in Scheiben schneiden, gründlich waschen, in
kochendes Salzwasser	geben, zum Kochen bringen, 2 – 3 Minuten kochen, abtropfen lassen
2 Zwiebeln	
2 Knoblauchzehen	beide Zutaten abziehen, fein würfeln
2 Eßl. Speiseöl	erhitzen, Zwiebel- und Knoblauchwürfel darin glasig dünsten lassen
500 g Gehacktes (halb Rind-, halb Schweinefleisch)	unter Rühren darin braun braten lassen, dabei die Fleisch-klümpchen zerdrücken, das Hackfleisch mit
Salz	
frisch gem. Pfeffer	

167

Cayennepfeffer	würzen
250 g saure Sahne	mit
2 Eßl. gehackter	
Petersilie	verrühren, mit Salz, Pfeffer würzen, eine feuerfeste Form ausfetten, die Hälfte der Kartoffelscheiben und der Porreeringe hineingeben, mit Salz bestreuen, die Hälfte der Sahne darauf verteilen, die Hackfleischmasse daraufgeben, die restlichen Kartoffelscheiben und Porreeringe einfüllen, mit Salz bestreuen, mit der restlichen Sahne bedecken
50 g geriebenen	
Emmentaler Käse	darüberstreuen
Butter	in Flöckchen daraufsetzen, die Form in den kalten Backofen schieben, den Auflauf goldbraun backen
Ober-/Unterhitze	etwa 200 °C
Heißluft	etwa 180 °C
Gas	Stufe 3 – 4
Backzeit	etwa 30 Minuten.

Kartoffelklöße mit Porreestreifen

500 g Porree (Lauch)	putzen, halbieren, waschen, in feine Streifen schneiden
50 g Butter	zerlassen, die Porreestreifen darin 6 – 8 Minuten andünsten, mit
Salz	
Pfeffer	abschmecken, auf ein Sieb geben, abtropfen lassen, erkalten lassen
1 ¼ kg Kartoffeln	waschen, schälen, waschen, nicht zu fein reiben, in einem Küchentuch gut auspressen
250 ml (¼ l) Milch	mit
20 g Butter	
Salz	zum Kochen bringen
100 g Weizengrieß	unter Rühren einstreuen, bei schwacher Hitze etwa 10 Minuten ausquellen lassen, geriebene Kartoffeln gut unter den heißen Grieß mischen, mit Salz abschmecken, die Porreestreifen unterheben
1 Brötchen (Semmel)	in kleine Würfel schneiden
30 g Butter	zerlassen, die Brötchenwürfel darin braun braten, aus der Kartoffelmasse mit nassen Händen etwa 12 Klöße formen, in jeden Kloß einige Brötchenwürfel drücken, zusammendrücken
3 l Salzwasser	zum Kochen bringen, alle Klöße hineingeben, zum Kochen bringen, bei milder Hitze in etwa 20 Minuten gar ziehen lassen, die Klöße mit einer Schaumkelle herausnehmen
60 g Butter	zerlassen
2 – 3 Eßl. Semmelbrösel	darin etwas bräunen lassen, über die Klöße geben.

Kartoffelpuffer mit Möhren und Sellerie

700 g Kartoffeln	waschen, schälen
200 g Möhren	
100 g Knollensellerie	das Gemüse putzen, schälen, waschen
	Kartoffeln, Möhren, Sellerie fein reiben
1 Zwiebel	abziehen, sehr fein würfeln, zu dem Gemüsebrei geben
60 g Weizenmehl	
2 Eier	
2 Eßl. gehackte Petersilie	
Salz	
frisch gemahlenen Pfeffer	
geriebene Muskatnuß	unterrühren
	in eine Pfanne etwas von
250 ml (¼ l) Speiseöl	geben, den Teig portionsweise hineingeben, flachdrücken und die Puffer von beiden Seiten goldgelb backen.
Tip	Zu frischem Blattsalat servieren.

Kartoffelsalat, Frühlingsart

4 große Kartoffeln (à 200 g)	waschen, in Wasser zum Kochen bringen, in 20 – 25 Minuten gar kochen lassen, abgießen, abdämpfen, erkalten lassen, längs halbieren, eine Hälfte pellen, in dünne Scheiben schneiden
8 Radieschen	putzen, waschen, in Scheiben schneiden
2 Frühlingszwiebeln	putzen, waschen, in Ringe schneiden, die 3 Zutaten mit
2 Eßl. Schnittlauch-röllchen	mischen
4 Eßl. Sonnenblumenöl	mit
Salz	
2 Eßl. Weißweinessig	
frisch gemahlenem Pfeffer	
1 Messerspitze Senf	
1 Prise Zucker	verrühren, mit den Zutaten verrühren, den Salat auf die gesalzene Kartoffelhälfte geben, mit
Schnittlauchhalmen	dekorieren.

Blattspinat

500 g frischen Spinat	putzen, Stiele entfernen, waschen, abtropfen lassen
250 ml (¼ l) Wasser	mit
Salz	stark würzen, zum Kochen bringen, Hitze reduzieren
2 Knoblauchzehen	abziehen, ins Wasser geben, 10 Minuten köcheln, Spinat ins Wasser geben, erneut aufkochen, 4 Minuten blanchieren Spinat gut abtropfen lassen
40 g Butter	erwärmen, Spinat darin schwenken
2 Eßl. Olivenöl	unterrühren, mit
40 g frisch geriebenem Parmesan	bestreuen.

Brokkoli mit gerösteten Mandeln

	Von
1 kg Brokkoli	die Blätter entfernen, die Stengel am Strunk schälen, bis kurz vor den Röschen kreuzförmig einschneiden, den Brokkoli waschen
750 ml (¾ l) Wasser	in einem ovalen Bratentopf mit Einsatz zum Kochen bringen den Brokkoli (evtl. in 2 Portionen) in den Einsatz geben, mit
Salz	bestreuen, im geschlossenen Topf in 15 – 20 Minuten gar dämpfen lassen.
	Für die Mandelbutter
100 g Butter	zerlassen
80 g abgezogene, gehoblete Mandeln	darin goldbraun rösten, mit
Salz	würzen den Brokkoli auf einer vorgewärmten Platte anrichten, die Mandelbutter darübergeben.

Brokkoli in Walnußrahm

	Von
750 g Brokkoli	die Blätter entfernen, die Stengel schälen, von den Röschen trennen, in etwa 1 cm breite Scheiben schneiden von
75 g Walnußkernhälften	etwa die Hälfte hacken
1 gut gehäuften Eßl. Butter	zerlassen, die Walnußkerne (gehackt und ganz) darin andünsten, die Brokkolistengel dazugeben, etwa 2 Minuten mitdünsten lassen, mit

1 Teel. Salz	
Pfeffer	
geriebener Muskatnuß	würzen
125 ml (⅛ l) Weißwein	
125 ml (⅛ l) Schlagsahne	hinzugießen, zum Kochen bringen, etwa 8 Minuten dünsten lassen, erst dann die Röschen (Stengel nach unten) auf die Walnußkerne geben, das Gemüse garen lassen die garen Röschen auf einer vorgewärmten Platte anrichten den Walnußrahm mit
gemahlenen Gewürznelken	abschmecken, zu dem Gemüse geben
Garzeit	etwa 15 Minuten.
Tip	Brokkoli zu Kurzgebratenem, Schmorgerichten oder vegetarisch zu Kartoffelpuffern oder Reis servieren.

Fenchel mit gebräunter Butter

	Von
1 kg Fenchelknollen	die Stiele dicht oberhalb der Knollen abschneiden, braune Stellen und Blätter entfernen, die Wurzelenden gerade schneiden, die Knollen waschen, halbieren, in
250 ml (¼ l) kochendes Salzwasser	geben, zum Kochen bringen, in etwa 20 Minuten gar kochen lassen die Knollen in Viertel schneiden, auf eine vorgewärmte Platte legen, warm stellen
50 g Butter	zerlassen, bräunen lassen, mit Salz würzen, über den Fenchel gießen, mit gewaschenem, gehackten Fenchelgrün gestreuen
Abwandlung	Fenchelknollen in
250 ml (¼ l) Flüssigkeit (halb Weißwein, halb Wasser)	garen, in eine gefettete Auflaufform geben, den Sud darübergießen, mit
50 g geriebenem Parmesan	bestreuen, mit
Butterflöckchen	belegen, etwa 10 Minuten bei etwa 200 °C im vorgeheizten Backofen überbacken.

Gedünstete Frühlingszwiebeln

4 Bund Frühlings-zwiebeln	putzen, waschen, abtropfen lassen
40 g Butter	zerlassen, die ungeteilten Frühlingszwiebeln darin anbraten, mit
125 ml (⅛ l) Weißwein	angießen, mit
Salz	
frisch gemahlenem Pfeffer	würzen, Frühlingszwiebeln im geschlossenen Topf in etwa 20 Minuten gar dünsten die Frühlingszwiebeln herausnehmen, warm halten den Sud mit
125 ml (⅛ l) Schlagsahne	
125 ml (⅛ l) Milch	loskochen
1 – 2 Eßl. Weizenmehl	mit
2 – 4 Eßl. Wasser	anrühren, in die kochende Sauce rühren, bis sie sämig wird, etwa 5 Minuten leicht köcheln lassen
2 Eßl. kleine Kapern	hinzugeben, etwa 2 Minuten ziehen lassen, nochmals abschmecken
1 Eigelb	mit einigen Löffeln Sauce anrühren, die Sauce vom Herd ziehen das Ei unterschlagen und die Frühlingszwiebeln in der Sauce servieren.

Frühlingszwiebelsalat mit gebratener Hühnerbrust

200 g Hühnerbrust (ohne Knochen)	waschen, abtrocknen, mit
Salz	
Pfeffer	würzen
2 Eßl. Speiseöl	erhitzen, die Hühnerbrust von jeder Seite etwa 3 Minuten darin braten, erkalten lassen, das Fleisch in Scheiben schneiden
2 Bund Frühlings-zwiebeln (etwa 500 g)	putzen, das dunkle Grün bis auf etwa 15 cm entfernen, das übrige Grün von den Zwiebeln schneiden, beiseite stellen die Knollen evtl. abziehen, waschen, in Scheiben schneiden, in
kochendes Salzwasser	geben, zum Kochen bringen, etwa 1 Minute kochen lassen, auf ein Sieb geben, mit kaltem Wasser übergießen, abtropfen lassen, das Grün der Frühlingszwiebeln waschen, in Ringe schneiden
1 Bund Radieschen	putzen, waschen, in Scheiben schneiden
1 große Zwiebel	abziehen, in Scheiben schneiden.

Für die Salatsauce

2 Eßl. Salatöl	mit
2 Eßl. Kräuteressig	
Salz	
Pfeffer	
Zucker	verrühren, die Salatsauce mit den Salatzutaten vermengen, etwa 30 Minuten durchziehen lassen, den Salat evtl. nochmals mit Salz, Pfeffer abschmecken, auf einer Platte anrichten, die Fleischscheiben daraufgeben
1 Becher (150 g) Crème fraîche	mit
1 – 2 Eßl. gehackten Kräutern (Petersilie, Schnittlauch, Estragon, Zitronenmelisse)	
Salz	
Pfeffer	verrühren, zu dem Salat reichen.
Beigabe	Stangenweißbrot.

Ungarischer Frühlingszwiebelauflauf

1 Bund Frühlingszwiebeln	putzen, waschen, in feine Ringe schneiden
250 g gekochte Kartoffeln	in Würfel schneiden
je ½ große rote, gelbe und grüne Paprika	entkernen, die weißen Scheidewände entfernen, die Paprika in Streifen schneiden
200 g ungarische Salami	in kleine Würfel schneiden
1 Bund glatte Petersilie	abspülen, die Blättchen von den Stengeln zupfen, in Streifen schneiden, das Gemüse mit den Kartoffel- und Salamiwürfeln mischen, in eine gebutterte Auflaufform geben
2 Eier	mit
150 g saurer Sahne	
200 ml Schlagsahne	verquirlen, mit
Paprika edelsüß	
Salz	
frisch gemahlenem Pfeffer	
etwas Tabasco	würzen, die Eiersahne über den Auflauf gießen
100 g Schafskäse	zerbröckeln, darüberstreuen, mit
30 g Butterflöckchen	belegen, die Form auf dem Rost in den kalten Backofen schieben
Ober-/Unterhitze	180 – 200 °C
Heißluft	160 – 180 °C
Gas	Stufe 3 – 4
Backzeit	30 – 40 Minuten.

Tofuspieße mit Frühlingszwiebeln

1 Bund Frühlings-zwiebeln	putzen, waschen, in etwa 8 cm lange Stücke schneiden, große Zwiebelknollen halbieren
250 g Tofu	in Würfel schneiden, Frühlingszwiebeln und Tofuwürfel abwechselnd auf Spieße stecken, dabei den grünen Frühlingszwiebelteil wie eine Schlaufe um den Tofu stecken.

Für die Marinade

4 Eßl. helle Sojasauce	mit
6 Eßl. Sojaöl	
Saft von 1 Zitrone	
1 Teel. geriebenem Ingwer	
2 Teel. Fünf-Gewürz-Pulver	
Cayennepfeffer	
1 Teel. Currypulver	gut verrühren, die Spieße in die Marinade legen, durchziehen lassen, zwischendurch wenden, auf den heißen Grillrost legen, 4 – 5 Minuten grillen.

Schweinefleisch mit Frühlingszwiebeln auf chinesische Art

350 g Schweinenacken	unter fließendem kaltem Wasser abspülen, trockentupfen, in etwa ½ cm große Würfel schneiden
2 Eßl. Sojasauce	
3 Eßl. Sherry	
2 abgezogene feingehackte Knoblauchzehen	
1 Teel. geschälten feingehackten Ingwer	
1 El Speisestärke	verrühren, mit den Fleischwürfeln vermengen
½ Flasche (etwa 170 g) Ketchup	mit
4 Eßl. Ananassaft	
1 – 2 Eßl. süßer Chilisauce	verrühren
2 Eßl. Ananasstücke (aus der Dose)	abtropfen lassen, sehr klein schneiden, unter die Ketchupsauce heben

3 Bund **Frühlingszwiebeln**	putzen, das Grün bis auf etwa 15 cm abschneiden, die Knollen evtl. abziehen, die Frühlingszwiebeln waschen, in dünne Scheiben schneiden
30 g abgezogene, gehobelte Mandeln	in einer Pfanne ohne Fettzugabe goldbraun rösten, herausnehmen, beiseite stellen
2 Eßl. Speiseöl	in zwei Pfannen erhitzen, die Fleischwürfel aus der Marinade nehmen, abtropfen lassen, unter häufigem Wenden etwa 2 Minuten in der Pfanne braten lassen, die vorbereiteten Frühlingszwiebeln in der 2. Pfanne unter Rühren etwa 1 Minute braten lassen, von der Kochstelle nehmen, mit
Salz	bestreuen, die Ketchupsauce zum Fleisch geben, zum Kochen bringen, von der Kochstelle nehmen, die Frühlingszwiebeln zu dem Fleisch geben, unterrühren, die gerösteten Mandeln darüberstreuen, sofort servieren.
Beilage	Reis.

Pikanter Reis mit Frühlingszwiebeln

200 g Langkorn- und Wilder Reis	in
500 ml (½ l) kochendes Wasser	geben, zum Kochen bringen, in etwa 20 Minuten ausquellen lassen, die verbleibende Flüssigkeit im Topf etwas einkochen lassen
1 Bund Frühlingszwiebeln	putzen, das Grün bis auf etwa 10 cm abschneiden, die Frühlingszwiebeln waschen, in dünne Scheiben schneiden, in Ringe teilen oder in Würfel schneiden
1 – 2 Eßl. Butter	zerlassen, die Zwiebelringe (-würfel) darin 2 – 3 Minuten dünsten lassen, mit
1 – 2 Eßl. Kräuter-Crème fraîche	unter den Reis rühren, mit
Salz	
frisch gemahlenem Pfeffer	abschmecken, sofort servieren.
Tip	Pikanten Reis zu kurzgebratenem Fleisch reichen.

Kabeljaufilet auf Kartoffeln und Frühlingszwiebeln

700 g festkochende Kartoffeln	schälen, waschen, der Länge nach vierteln
2 l Salzwasser	zum Kochen bringen, die Kartoffelviertel etwa 10 Minuten darin blanchieren, auf ein Sieb geben, abtropfen lassen eine große Auflaufform im Backofen warm stellen, die heiße Form herausnehmen
120 g Butter	darin zerlassen
2 Bund Frühlingszwiebeln	putzen, waschen, in grobe Stücke schneiden, in der Butter andünsten, die abgetropften Kartoffeln hinzufügen
600 g Kabeljaufilet (ohne Haut und Gräten)	unter fließendem kaltem Wasser abspülen, trockentupfen, in vier Stücke zerteilen, mit
Salz frisch gemahlenem Pfeffer	bestreuen
2 Knoblauchzehen	abziehen, zerdrücken, auf die Filets streichen, die Kabeljaufilets auf die Kartoffeln legen, die Form auf dem Rost in den Backofen schieben
Ober-/Unterhitze	etwa 200 °C (vorgeheizt)
Heißluft	etwa 180 °C (nicht vorgeheizt)
Gas	etwa Stufe 4 (vorgeheizt)
Garzeit	20 – 30 Minuten.
Tip	Mit gehackter Petersilie bestreut servieren. Dieses Fischgericht schmeckt auch ohne Knoblauch.

Frühlings-Dip

100 g Magerquark	mit
100 g Doppelrahm-Frischkäse	
½ Becher (75 g) Crème fraîche	verrühren, mit
Salz	
Pfeffer	abschmecken
3 – 4 Eßl. gehackte Kresseblättchen	unterrühren.
Empfehlung	Zu Gemüse-Rohkost oder neuen Kartoffeln reichen.

Kohlrabi-Möhren-Flan, Rezept Seite 145

Kohlrabisuppe, Rezept Seite 147

Teltower Rübchen und Mörchen, Rezept Seite 162

Frühlingssalat, Rezept Seite 183

Frühlings-Frikassee

30 g Butter oder Margarine	zerlassen
30 g Weizenmehl	unter Rühren so lange darin erhitzen, bis es hellgelb ist
250 ml (¼ l) heiße Hühnerbrühe	hinzugießen, mit einem Schneebesen durchschlagen, darauf achten, daß keine Klumpen entstehen, die Sauce zum Kochen bringen, etwa 10 Minuten kochen, etwas abkühlen lassen
2 Pck. (je 200 g) Frühlings-Quark	unterrühren
150 g gekochten Schinken	in Würfel schneiden
1 Bund glatte Petersilie 1 Bund Dill oder Kerbel 1 Bund Schnittlauch	die Kräuter vorsichtig abspülen, trockentupfen, fein hacken bzw. schneiden, Schinkenwürfel und Kräuter unter die Quarksauce rühren
4 hartgekochte Eier Salz frisch gemahlenem Pfeffer	pellen, vierteln, vorsichtig unterheben, mit würzen.
Beilage	Pellkartoffeln oder Reis.

Frühlingsplatte mit Avocadocreme

(In der Bratfolie – 4 bis 6 Portionen)

1 kg Schweinefleisch (Oberschale)	unter fließendem kaltem Wasser abspülen, trockentupfen, evtl. Haut und Fett entfernen, mit
Salz Pfeffer	würzen, auf ein genügend großes Stück Bratfolie legen, die Folie verschließen, auf dem Rost in den Backofen schieben
Ober-/Unterhitze	etwa 200 °C (vorgeheizt)
Heißluft	etwa 180 °C (nicht vorgeheizt)
Gas	Stufe 3 – 4 (vorgeheizt)
Bratzeit	etwa 1 ½ Stunden
4 Stangen Staudensellerie (etwa 300g)	putzen, harte Fäden an der Außenseite der Stengel abziehen, die Stengel waschen, in etwa 5 cm lange Stücke schneiden

2 mittelgroße Stangen Porree (Lauch)	putzen, das dunkle Grün bis auf etwa 10 cm entfernen, den Porree längs halbieren, in etwa 5 cm lange Stücke schneiden, gründlich waschen, von
2 Fenchelknollen (etwa 500 g)	das Grün abschneiden, die Knollen putzen, waschen, vierteln oder achteln
2 große Möhren	putzen, schälen, waschen, in etwa 5 cm lange (½ cm dicke) Stifte schneiden, das Gemüse nacheinander in
kochendes Salzwasser	geben, zum Kochen bringen, Staudensellerie 1 – 2 Minuten kochen lassen, Porree 2 – 3 Minuten, Fenchel etwa 8 Minuten, Möhren etwa 5 Minuten, zuletzt
4 – 6 kleine Tomaten	kurze Zeit hineingeben (nicht kochen lassen), in kaltem Wasser abschrecken, enthäuten, die Stengelansätze herausschneiden das Gemüse gut abtropfen lassen, in eine große flache Schüssel legen.

Für die Marinade

3 Eßl. Salatöl	mit
3 Eßl. Kräuter-Essig	verrühren, mit
Salz	
Pfeffer	
Zucker	würzen, über das Gemüse verteilen, von Zeit zu Zeit die Marinade in einer Ecke der Schüssel zusammenfließen lassen, erneut über das Gemüse geben, 2 – 3 Stunden durchziehen, abtropfen lassen, das gare Fleisch erkalten lassen, in dünne Scheiben schneiden, mit dem Gemüse auf einer großen Platte anrichten, mit
Petersilie	garnieren.

Für die Avocadocreme

1 reife Avocado	halbieren, entsteinen, dünn schälen, das Fruchtfleisch pürieren oder mit einer Gabel zerdrücken
1 Eßl. Zitronensaft	unterrühren
1 Knoblauchzehe	abziehen, durchpressen, hinzufügen
125 ml (⅛ l) Speiseöl	eßlöffelweise unterrühren, mit Pfeffer,
Zwiebelsalz	
Zitronensaft	würzen, in die ausgehöhlten Avocadohälften spritzen, mit
Petersilie	garnieren, mit auf der Platte anrichten.
Beigabe	Bauernbrot.
Tip	Avocadocreme möglichst erst kurz vor dem Servieren zubereiten, da sich bei längerem Stehen das Öl evtl. von der Avocadomasse trennt.

Frühlingssalat

(Foto Seite 180)

500 g junge Möhren	putzen, schälen, waschen, in
wenig kochendes	
Salzwasser	geben, zum Kochen bringen, 5 – 8 Minuten dünsten, abtropfen, abkühlen lassen
1 Bund Radieschen	
250 g Champignons	beide Zutaten putzen, waschen
1 kg Pellkartoffeln	pellen, die vier Zutaten in dünne Scheiben schneiden
1 Bund Schnittlauch	abspülen, trockentupfen, fein schneiden
2 Kästchen Kresse	abspülen, trockentupfen, die Blättchen abschneiden
500 g Kümmelkäse	in feine Streifen schneiden.
	Für die Salatsauce
6 Eßl. Olivenöl	mit
4 Eßl. Estragon-Essig	
1 Teel. mittel-	
scharfem Senf	verrühren, mit
Salz	
frisch gemahlenem	
weißen Pfeffer	würzen, mit den Salatzutaten vermengen, Salat etwas durchziehen lassen, auf
Salatblättern	anrichten, mit
Radieschen	
Kresseblättchen	garnieren.
Tip	Knoblauch-Baguette dazu reichen.

Frühlingssinfonie

	Von
1 Kopfsalat	die äußeren Blätter entfernen, die übrigen vom Strunk lösen, die Blätter zerpflücken, waschen, den Salat gut abtropfen lassen
1 kleine Fenchel-	
knolle (etwa 150 g)	putzen, waschen, vierteln, in dünne Streifen schneiden
1 Bund Radieschen	putzen, waschen, in Scheiben schneiden
½ rote Paprikaschote	
½ grüne Paprikaschote	die Schoten entstielen, entkernen, die weißen Scheidewände entfernen, die Schoten waschen, quer in dünne Streifen schneiden
1 Avocado	längs halbieren, entsteinen, schälen, quer in Scheiben schneiden, die Salatzutaten in einer Glasschüssel anrichten.

Für die Salatsauce

5 Eßl. Speiseöl	mit
2 Eßl. Essig **Salz** **Pfeffer** **Zucker**	verrühren, mit würzen
feingeschnittenen **Schnittlauch**	unterrühren, mit den Salatzutaten vermengen, den Salat etwas durchziehen lassen.

Frühlingstopf mit Grünkern

80 g Grünkern	über Nacht mit reichlich Wasser bedeckt einweichen, mit dem Einweichwasser aufkochen und etwa 45 Minuten bei kleiner Flamme im geschlossenen Topf garen
800 ml Gemüsebrühe	erhitzen
150 g Mairübchen oder **Teltower Rübchen**	
150 g Möhren	putzen, schälen, waschen, in Würfel schneiden
120 g Kohlrabi	putzen, schälen, waschen, in Würfel schneiden
100 g grüne Bohnen	putzen, evtl. abfädeln, waschen
1 Stange Porree (Lauch)	putzen, waschen, in Ringe zerteilen, das Gemüse in die Brühe geben, etwa 10 Minuten garen, den Grünkern zugeben
1 Bund Petersilie **1 Zweig Liebstöckel**	die Kräuter abspülen, Blättchen abzupfen, fein schneiden, in den Eintopf geben, mit
Salz **frisch gemahlenem** **Pfeffer** **geriebener Muskatnuß**	abschmecken.

Frühlingsgemüse mit Kräuter-Dip

1 Salatgurke (600 g)	waschen, erst in etwa 10 cm lange Stücke, dann in Stifte schneiden, von
250 g jungen Möhren **250 g weißen Radieschen** **(Eiszapfen)**	das Grün bis auf 2 cm abschneiden, Möhren, Radieschen waschen, schälen
250 g Tomaten	waschen, in Achtel schneiden, entkernen
250 g Staudensellerie	putzen, waschen, harte Fäden von der Außenseite abziehen, in Stücke schneiden, von
2 Bund Radieschen **(500 g mit Grün)**	das Grün bis auf den Ansatz und die Wurzeln abschneiden, Radieschen waschen, alle Zutaten auf einer Platte anrichten.

<table>
<tr><td></td><td>Für den Kräuter-Dip</td></tr>
</table>

3 Sardellenfilets	evtl. wässern, trockentupfen
1 Eßl. Kapern	
10 grüne, spanische	
Oliven, mit	
Paprika gefüllt	die drei Zutaten sehr fein hacken, mit
3 Eigelben	
1 Teel. Senf	
1 Eßl. Obstessig	verrühren, mit
Salz	
Pfeffer	würzen
75 ml Maiskeimöl	eßlöffelweise unterrühren
4 – 5 Eßl. gemischte,	
gehackte Kräuter	
z. B. Petersilie, Dill	
Schnittlauch, Kerbel	unterrühren
2 enthäutete	
Tomaten	halbieren, die Stengelansätze herausschneiden, die Tomaten entkernen, in Stücke schneiden, über den Dip geben.

Frühlingssalat in Dill-Vinaigrette

500 g kleine Kartoffeln	waschen, mit Wasser zum Kochen bringen, in etwa 20 Minuten gar kochen lassen, pellen, in Scheiben schneiden, in
125 ml (⅛ l) **heiße Fleischbrühe**	geben, die Kartoffeln darin ziehen lassen, bis die Flüssigkeit aufgesogen ist
250 g Spinat	verlesen, sorgfältig waschen, abtropfen lassen
2 kleine Zwiebeln	abziehen, in Scheiben schneiden, in Ringe teilen
1 Bund Radieschen	putzen, waschen, in Scheiben schneiden
½ Salatgurke	waschen, in Scheiben schneiden
½ Bund Frühlings- **zwiebeln**	putzen, waschen, in dünne Ringe schneiden
2 Bund Dill	waschen, die Dillspitzen abschneiden, etwa ¼ davon fein hacken.

Für die Dill-Vinaigrette

7 Eßl. Speiseöl	mit
4 Eßl. Weißweinessig	verrühren, mit
Salz, Pfeffer	würzen, den restlichen Dill unterrühren, die Sauce mit den Salatzutaten vermengen
4 hartgekochte Eier	pellen, in Sechstel schneiden, den Salat damit garnieren.

Frühlingssalat mit Joghurt-Dressing

1 Kopfsalat
50 g frischen Spinat putzen, zerpflücken, waschen, trockenschleudern oder gut abtropfen lassen
1 mittelgroßen Kohlrabi
1 Möhre putzen, schälen, waschen, in Streifen schneiden
2 Frühlingszwiebeln putzen, waschen, in schräge Scheiben schneiden
Salat, Spinat und die Frühlingszwiebeln mit
1 Pck. Joghurt-Dressing mischen, in einer Salatschüssel anrichten, mit Gemüsestreifen bestreuen, mit
Kerbelblättchen garnieren.

Frühlingssuppe

125 g vorbereiteten
Blumenkohl in Röschen teilen
2 Möhren putzen, schälen, mit einem Buntschneidemesser in Scheiben schneiden
4 Stangen
Suppenspargel schälen, in kleine Stücke schneiden
1 Stange Porree (Lauch) putzen, in Scheiben schneiden
1 Stück Sellerieknolle putzen, schälen, in Würfel schneiden, das Gemüse waschen
2 mittelgroße Tomaten waschen, kleinschneiden, das Gemüse in
1 l Instant-Fleischbrühe geben, zum Kochen bringen, in etwa 30 Minuten gar kochen lassen, die Suppe mit
Salz
Pfeffer
Fleischextrakt
oder Suppenwürze abschmecken, mit
2 Eßl. gehackter
Petersilie bestreuen.
Einlage Nach Belieben Eierstich, Markklößchen oder Grießklößchen.